再オープン記念 特別展

行列《ぎょうれつ》

雲州松平家と出雲国造家

再オープン記念　特別展

行列

雲州松平家と出雲国造家

会　期　令和二年四月二四日［金］―五月一八日［月］

会　場　島根県立古代出雲歴史博物館　特別展示室

主　催　島根県立古代出雲歴史博物館

特別協力　東京国立博物館

後　援　朝日新聞松江総局、産経新聞社、日本経済新聞社松江支局、毎日新聞松江支局、読売新聞松江支局、中国新聞社、山陰中央新報社、島根日日新聞社、新日本海新聞社、共同通信社松江支局、時事通信社松江支局、NHK松江放送局、TSK山陰中央テレビ、テレビ朝日松江支局、日本海テレビ、BSS山陰放送、エフエム山陰、出雲ケーブルビジョン、山陰ケーブルビジョン、ひらたCATV株式会社

ごあいさつ

日本書紀編纂一三〇〇年に当たる今年、東京国立博物館で開催した特別展「出雲と大和」は、国内外の方々に日本という国の成り立ちを紹介する意義深い展覧会となりました。日本を代表する博物館である東京国立博物館でこのような展覧会が開催できたことは当博物館にとって誉れであります。

このたび再オープン後初めての特別展を開催するにあたり、東京国立博物館の格別なご協力により、同館が所蔵する本県ゆかりの文物を多数〝里帰り〟させることができました。その中には、雲州松平家の藩主が天皇の即位の大礼に際し、将軍の名代として京に赴き、御代替わりを寿いだ際の上洛図などがございます。またこの出雲の地においては、松平家の藩主が格式を整え、行列をなして赴くところ、領民との間で様々なやりとりがなされる中で、彩り豊かな文化の華が咲きました。その代表的な品々も出陳します。

そして御代替わりといえば、出雲国造《こくそう》家も、代替わりの際には、松江市の神魂《かもす》神社に赴いて火継《ひつぎ》神事を行い、新たな火を授かって霊力の再生と魂の継承を行いました。このたびの特別展では、出雲の知られざる歴史や神事を紹介するとともに、近年の調査研究によって発見された出雲国造家に関わる新史料も初公開します。

この特別展の名称である「行列」という言葉には、松江藩主による大名行列や出雲国造が神事を司る際の行列はもとより、島根の素晴らしき歴史と文化を、過去、現在、そして未来へと継承し発展させていくという当館の使命についても、その意をこめさせていただいたところです。

令和の時代においても、古代出雲歴史博物館は博物館事業を通して、歴史と文化を生かした人づくり、地域づくりに貢献してまいります。今後とも変わらぬご愛顧を賜りますようお願いします。

令和二年四月

島根県立古代出雲歴史博物館

館長　松本　新吾

凡例

●本図録は、島根県立古代出雲歴史博物館（以下、古代出雲歴史博物館という）再オープン記念　特別展「行列　雲州松平家と出雲国造家」の展示図録である。

●本図録の図版番号は列品番号と一致する。ただし展示した資料（列品No.79・86）、写真や解説用イラストの一部は収録していない。また、本図録中に収録した写真、イラスト等の中には展示していないものもある。

●本図録に掲載した図版は、次の機関・個人から提供を受けた。当館所蔵のものは特に記していない。
出陳作品…列品No.4・6・7・8・10・11・15・20・28・34・37・38　東京国立博物館　Image:TNM Image Archives／9　出雲文化伝承館／14　島根県立美術館／16　島根県立図書館／18・23・29～31・36―2　松江歴史館／42・45　出雲市（市民文化部文化スポーツ課）／43・44・46　八雲本陣記念財団／40・47　手錢記念館／48～53　科学研究費助成事業　基盤研究（C）「出雲国造北島家文書の総合的研究」（研究代表者：藤森馨）／89　出雲大社
参考図版…9頁　森鷗外肖像：森鷗外記念館／同頁　位階録：宮内庁書陵部宮内公文書館／32～33頁　洛中洛外図模本：東京国立博物館　Image:TNM Image Archives／35～37頁　洛中洛外図屏風（復元模写）：東京大学史料編纂所所蔵模写／72頁　板輿：津山郷土博物館／92頁　浮橋写真：個人

●図版ページには、各作品の文化財指定、列品No.、作品名、作者・出土地、制作年代、所蔵者所在地、所蔵者を順に付記した。

●作品解説には、各解説の冒頭に文化財指定、列品No.、作品名、員数、作者・出土地等、品質、法量（単位はcm）、制作年代、所蔵者所在地、所蔵者を順に記した。

●本図録のコラムは井上寛司氏（島根大学名誉教授）から玉稿を賜ったほか、岡宏三（古代出雲歴史博物館）、吉松大志（島根県古代文化センター）が執筆した。作品解説は、浅沼政誌（古代出雲歴史博物館）、岡、濱田恒志（同）、吉松が分担執筆し、文末に執筆者苗字を記した。

●本図録の編集は岡、濱田が担当し、古代出雲歴史博物館職員の合議によって行った。

●本特別展の担当者、展示企画・施工業者、輸送・展示業者、展示図録デザイン業者は以下の通りである。

展示担当者（○主担当）　○岡　宏三（古代出雲歴史博物館専門学芸員）
倉恒康一（古代出雲歴史博物館専門学芸員）
濱田恒志（古代出雲歴史博物館主任学芸員）
吉松大志（島根県古代文化センター主任研究員）

展示企画・施工　有限会社ササキ企画
美術輸送・展示作業補助　日本通運株式会社松江支店
展示図録デザイン　今井印刷株式会社

目次

第一章

東京国立博物館とのゆかり

創設以来一三〇年を優に超える伝統を誇る、我が国を代表する博物館・東京国立博物館。

長いあゆみのなかでは、島根県出身の森鷗外《おうがい》が同館の前身・帝室《ていしつ》博物館の総長（館長）をつとめています。また同館には、島根ゆかりの優品の数々も寄贈、寄託されています。

本章では、東京国立博物館の特別協力を得て、里帰りした島根に関わる文化財を中心に収集保存・調査展示を担う博物館の役割を考えます。

1
元ト昌平阪聖堂ニ於テ博覧会図
昇斎一景
明治五年（一八七二）
古代出雲歴史博物館

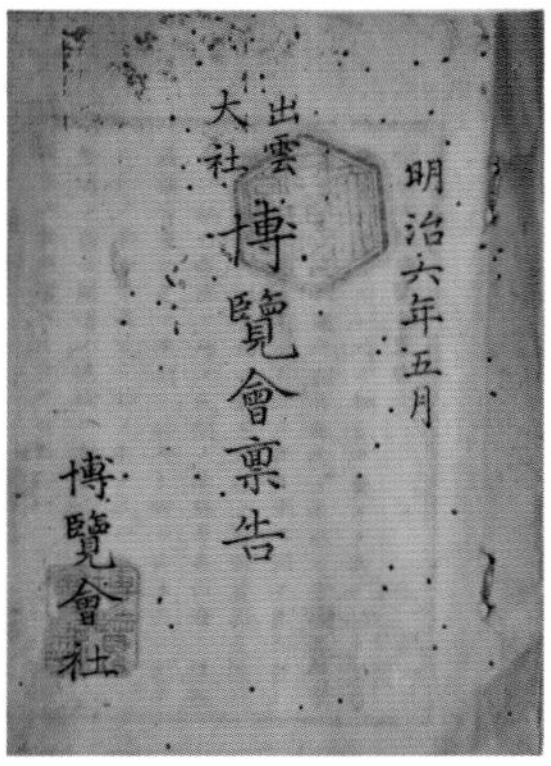
明治六年五月
出雲大社博覧會稟告
博覧會社

2
出雲大社博覧会稟告
明治六年（一八七三）
出雲市　北島家

◆東京国立博物館のあゆみ

東京国立博物館のあゆみは明治五年（一八七二）東京・湯島聖堂の大成殿において開催された博覧会からはじまる。我が国は幕末の慶応三年（一八六七）、パリで開催された万国博覧会に美術工芸品を中心に物品を出陳した経験を持っており、博覧会が文明社会の啓蒙・誇示に多大なる効果があることから、特に我が国にとっては殖産興業を推進する上での広報効果が期待された。島根県からも明治一〇年（一八七七）の第一回内国勧業博覧会に「出雲石見魚漁図解」「島根県内農具図解《ずげ》」を、同一四年（一八八一）の第二回内国勧業博覧会では「因伯魚漁図解」を出品し、農具漁具を通して当時の島根県における農漁業を紹介している。博覧会は想定を超える反響を呼び、翌年政府は内山下町の旧薩摩藩邸に博物館を設けた。博物館は浅草の書籍《しょじゃく》館（図書館）から移転してきた書籍も管理し、所轄は文部省から内務省、農商務省と変転した。

一方で、維新後の神仏分判令に発した廃仏毀釈運動、寺社領を収公した社寺上知《じょうち》令により、我が国の寺社、特に寺院に伝来した仏像、絵画等美術工芸品が海外に流出する現象を引き起こした。政府は博覧会の出品物準備を進めるとともに、こうした文化財の保全を図るため、明治四年（一八七一）に文部省に博物局を設置、翌五年、正倉院をはじめ全国府県社寺の調査を命じた。奈良を中心とした古器物調査はその後も実施され、現在の文化財調査と保護事業へ継承されている。

明治一五年（一八八二）、上野に博物館を移転。天産（自然史）、図書館、動物園を兼ね備える総合的博物館となった。明治二一年（一八八八）に博物館は宮内省図書寮の所轄となり、翌年帝国博物館、明治三三年（一九〇〇）に帝室博物館と改称。戦後文部省に移管されるが、現在に至るまで一貫して我が国を代表する国立博物館として蒐集保存・調査研究・展示公開を行っている。

（岡）

森鷗外
大正五年（一九一六）
提供：森鷗外記念館

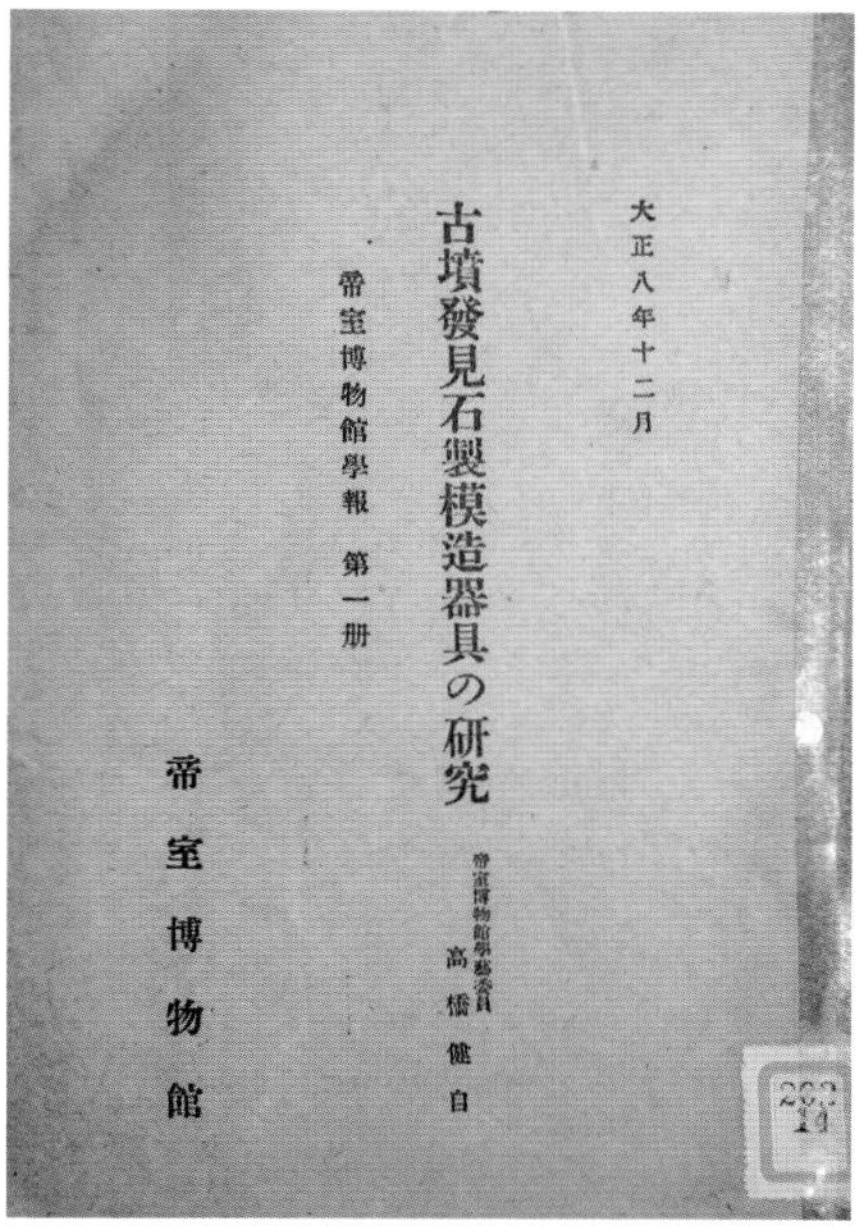

3
古墳発見石製模造器具の研究
帝室博物館学報第一冊
高橋健自
大正八年（一九一九）
島根大学附属図書館

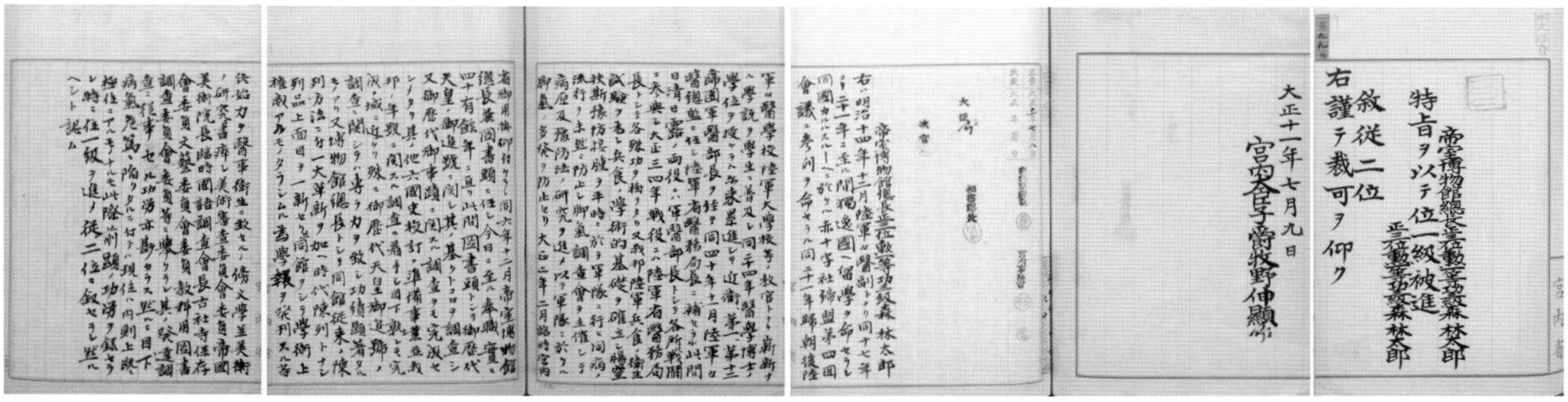

特旨ヲ以テ位一級被進
叙従二位
右謹テ裁可ヲ仰ク
大正十一年七月九日
宮内大臣子爵牧野伸顕

〈参考〉宗秩寮「位階録　二」
第九九号文書
大正一一年（一九二二）
宮内庁書陵部宮内公文書館

鷗外が重篤に陥ったのを受け叙勲手続のため作成された業績資料。陸軍軍医総監時代には腸チフス予防接種の整備、臨時宮内省御用掛、帝室博物館総長兼図書頭時代には歴代天皇の追号・事蹟の考証、六国史の校訂とともに、博物館の展示・調査研究の革新等、精力的な業跡の数々を列挙する。宮内省が鷗外を如何に評価していたかが窺われる。

宮内省時代の鷗外の役務的学術的事蹟については、沼倉延幸「図書頭森林太郎（鷗外）に関する基礎的研究—宮内公文書館所蔵資料を中心として—」（『書陵部紀要』第六八号、平成二九年）、同「帝室博物館総長兼図書頭森鷗外と「功績調書」—事実を記録するための覚書（一）—」（『鷗外』第一〇六号、令和二年）に詳しい。　　（岡）

4
土馬
松江市・美保神社境内出土
古墳時代か
東京国立博物館

5
土馬
松江市・美保神社境内出土
古墳時代か
松江市　美保神社

◆東京国立博物館と島根とのゆかり

大正六年（一九一七）一二月、森鷗外が帝室博物館総長（館長）兼図書《ずしょの》頭《かみ》に任命されている。津和野藩の医官の家に生まれ、ドイツ留学後陸軍軍医となり、明治三五年（一九〇二）には軍医総監・陸軍省医務局長に累進していたが、帝室博物館総長就任により、文官・史官の鷗外として諸業務を担っていく。優れた漢学の素養を持ち、大正に入って歴史小説、史伝の執筆に向かっていた鷗外にとって、安住の地ともいうべきポストであった。

宗秩寮「位階録　二」によれば、帝室博物館に関わる鷗外の業績として、「同館従来ノ陳列方法ニ付一大革新ヲ加ヘ、時代陳列トナシ、列品上面目ヲ一新セリ、且同館ヲシテ学術上権威アルモノタラシムル為学報ヲ発刊スル等」を挙げている。すなわち現在では基本的配列である年代順配列は、鷗外によってはじめて採用され、「一大革新」と受け止められた。また調査研究を行い、その成果を展示のみならず紀要等に刊行することは、現在では博物館法に定める基本的役割だが、これまたはじめて実施したのが鷗外であった。記念すべき帝室博物館学報の第一冊（本展出陳3）の執筆は、同館学芸委員高橋健自。彼は日本考古学会を主導、今に続く『考古学雑誌』を創刊するなど我が国の考古学の進展に多大な役割を果たしている。

さて東京国立博物館では、明治五年の創設以来継続して資料の収集が行われてきているが、特に戦前においては全国から出土した考古遺物がしばしば発見の届け出とともに送付され、帝室博物館に納められた。このため銅鐸（邑南町仮屋出土）、同（浜田市上府《かみこう》町出土）や、軍原《いくさばら》古墳（出雲市斐川町学頭）、古天神《ふるてんじん》古墳（松江市大草町）、大成《おおなり》古墳（安来市荒島町）、立石古墳群（西ノ島町美田）などの出土品が収蔵されている。変わったところでは上塩冶築山古墳の石室図があり、ウィリアム・ガウランド（一八四二〜一九二二）により英国で紹介されている。

考古遺物に対し美術工芸では、戦前の松江松平家当主・松平直亮《なおあき》（一〇

8

源頼朝卿御鎧修補註文

寺元安宅
江戸時代　文化二年（一八〇五）
出雲市　日御碕神社

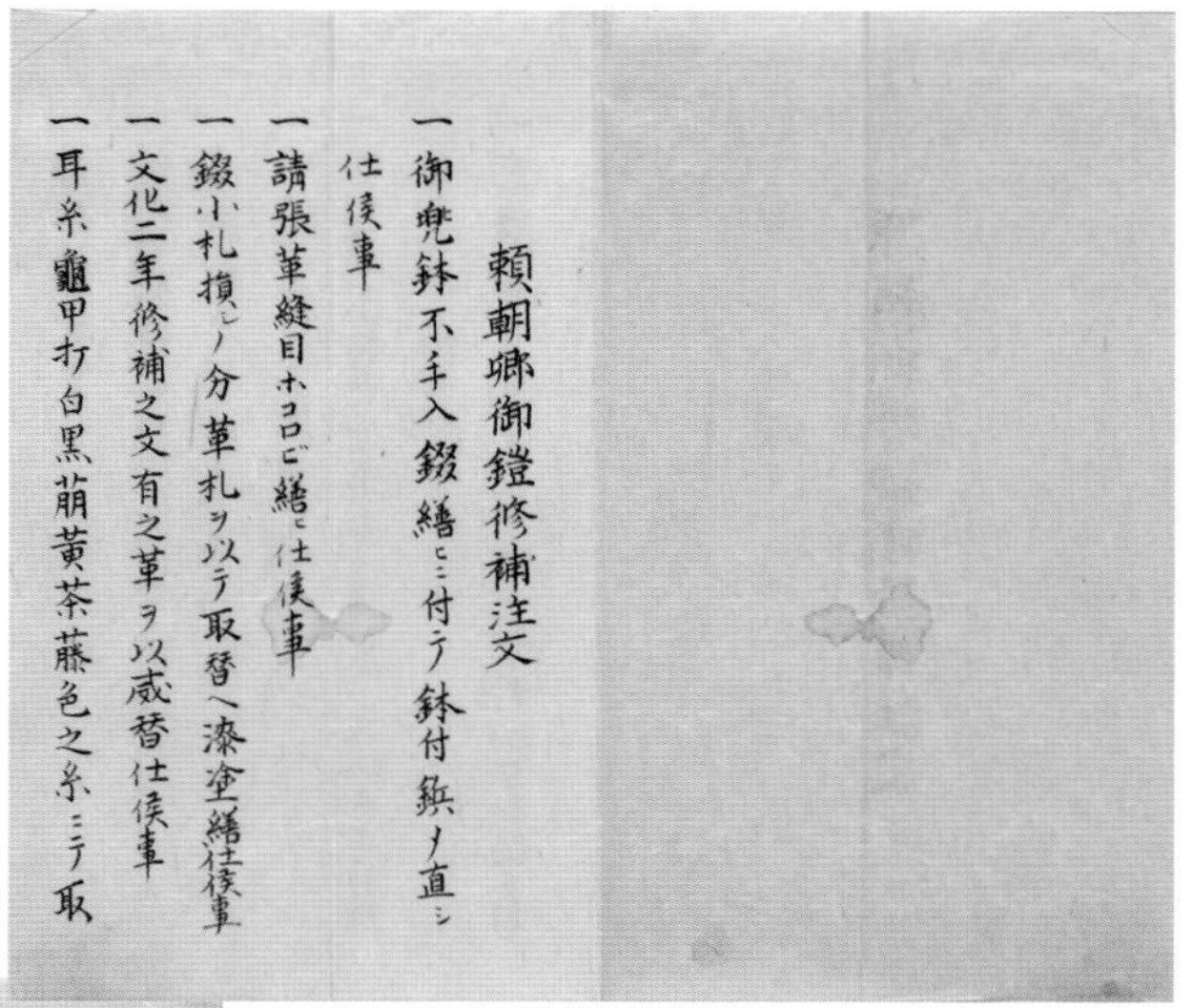
頼朝卿御鎧修補注文
一御兜鉢不手入鍛繕ニ付テ鉢付鋲ノ直シ仕候事
一請張革縫目ホコロビ繕ヒ仕候事
一鍛小札損シノ分革札ヲ以テ取替ヘ漆塗繕仕候事
一文化二年修補之文有之革ヲ以威替仕候事
一耳糸亀甲打白黒萌黄茶藤色之糸ニテ取

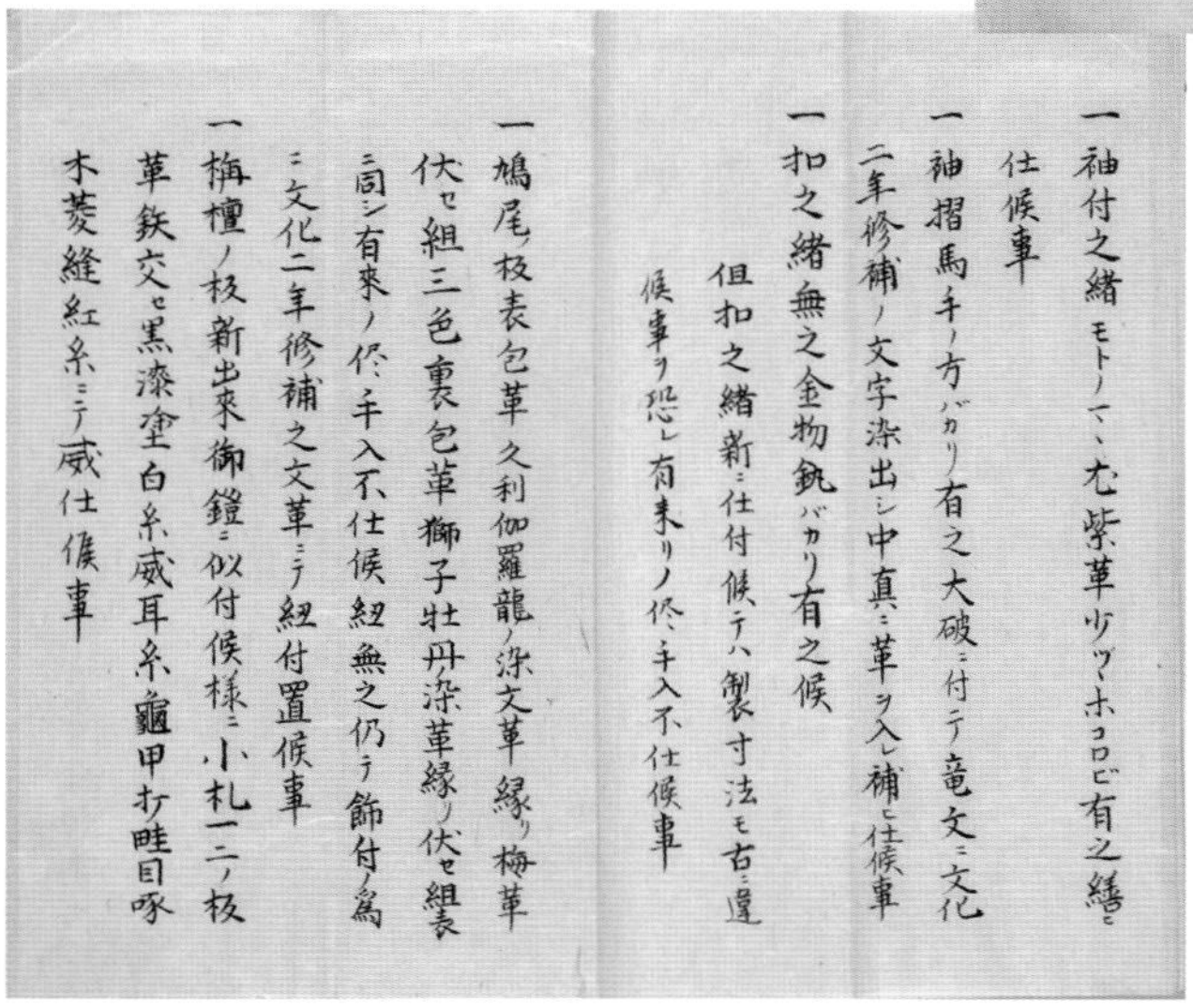
一袖付之緒モトノマヽ尤紫革少ツヽホコロビ有之繕ヒ仕候事
一袖摺馬手ノ方バカリ有之大破ニ付テ竜文ニ文化二年修補ノ文字染出シ中真ニ革ヲ入レ補ヒ仕候事
一扣之緒無之金物鐶バカリ有之候
但扣之緒新ニ仕付候テハ製寸法モ古ニ違候事ヲ恐レ有来リノ侭手入不仕候事
一鳩尾ノ板表包革久利伽羅龍ノ染文革縁リ梅革伏セ組三色裏包革獅子牡丹染革縁リ伏セ組表ニ同シ有来ノ侭手入不仕候紐無之仍テ飾付ノ為ニ文化二年修補之文革ニテ紐付置候事
一栴檀ノ板新出来御鎧ニ似付候様ニ小札一二ノ板革鉄交セ黒漆塗白糸威耳糸亀甲打畦目啄木菱縫紅糸ニテ威仕候事

代藩主定安《さだやす》の三男）による松平家伝世品の寄贈が注目される。寄贈品には「平治物語絵巻」（六波羅行幸の巻。国宝）、虚堂智愚「与照禅者偈頌《げじゅ》」（国宝）、同「悟翁禅師あて尺牘」（重文。本展出陳34）をはじめ多数にのぼる。なお直亮は晩年に帝室博物館顧問をつとめている。この厖大な寄贈コレクション全てにわたる調査は今なお行われていない。

博物館のもう一つの役割は、文化財の寄託を受けることである。我が国では災害による滅失に加えて近年は盗難等の事件が寺社を中心に相次いで発生している。古くから守り伝えられてきた、かけがえのない文化財を守り後世に伝えるため、所蔵者から寄託を受け入れ、時に展示公開することにより文化財の価値を広く紹介する点において東京国立博物館は京都・奈良・九州国立博物館とともに大きな役割を果たしてきている。日御碕神社の白糸威鎧（国宝。本展出陳7）、赤穴八幡宮の八幡三神像（重文。本展出陳6）も東京国立博物館に寄託保管されており、今回約一〇年ぶりの里帰りが実現した。

なお博物館は、経年等により劣化した文化財を修補したり、復元品を製作展示することも必要に応じて行うことがある。前述の白糸威鎧は、二〇〇年以上も前に茶人大名として知られる松平不昧の指示により修復がなされているが、修復の方針、仕様は現代と基本的に変わらない。このような先人の叡智を紹介し、学び活かすことも博物館の役割である。

当館は、前身の島根県立博物館（一九五九〜二〇〇四）以来、こうした国立博物館の理念に沿って、同館および他館等と相互連携協力しつつ島根の歴史文化について博物館業務を担い、情報発信をおこなっている。また文化財をよりよい環境で保管展示するため、平成一九年（二〇〇七）の開館から一〇年を経過したのを受け、約半年の期間をかけて行った館内全域のメンテナンスを終了し、あらためて新たな一歩を踏み出そうとしている。

（岡）

重要文化財

6 八幡三神像

慶（鏡）覚

鎌倉時代 嘉暦元年（一三二六）

飯南町 赤穴八幡宮

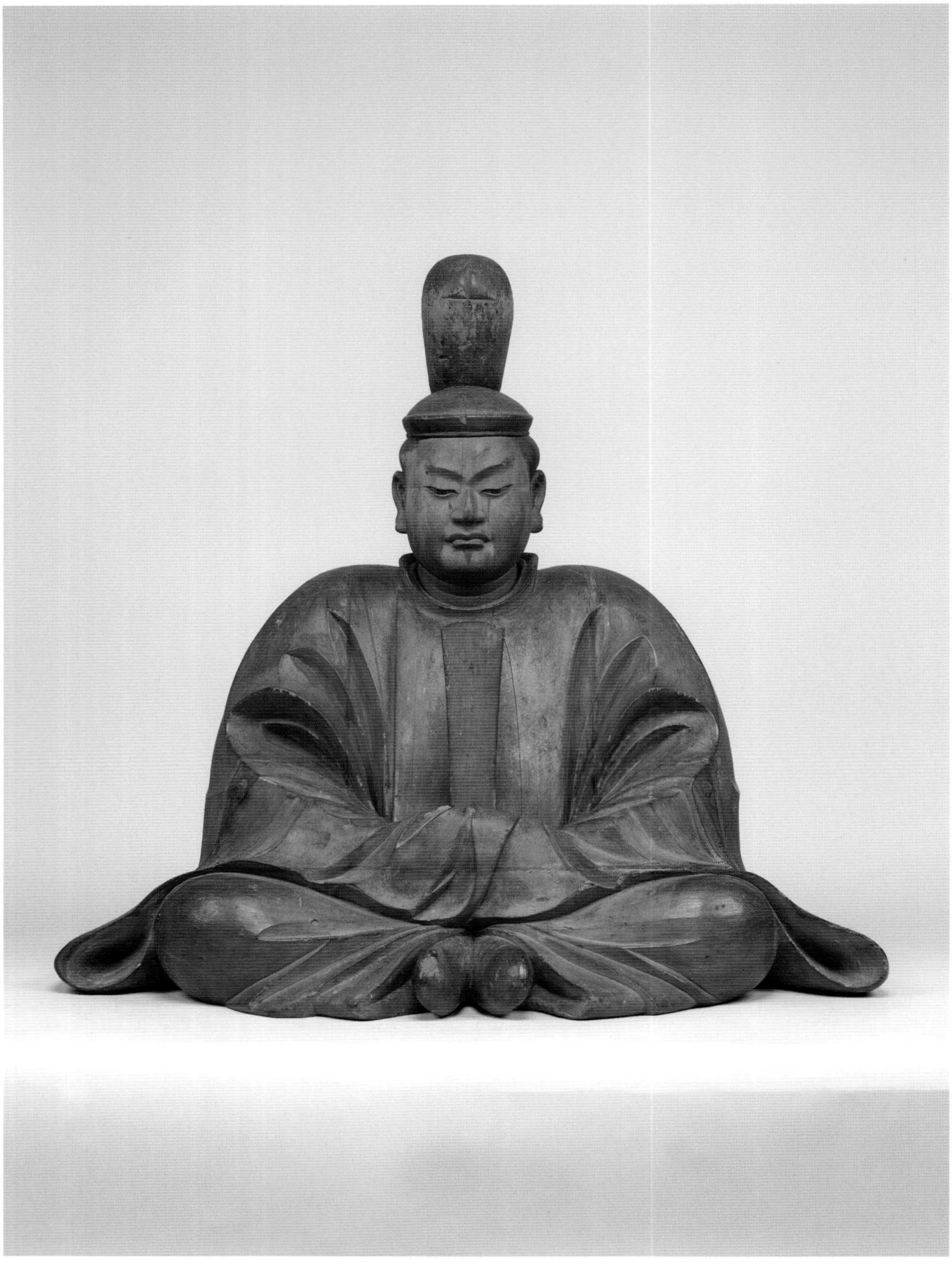

（八幡神坐像）

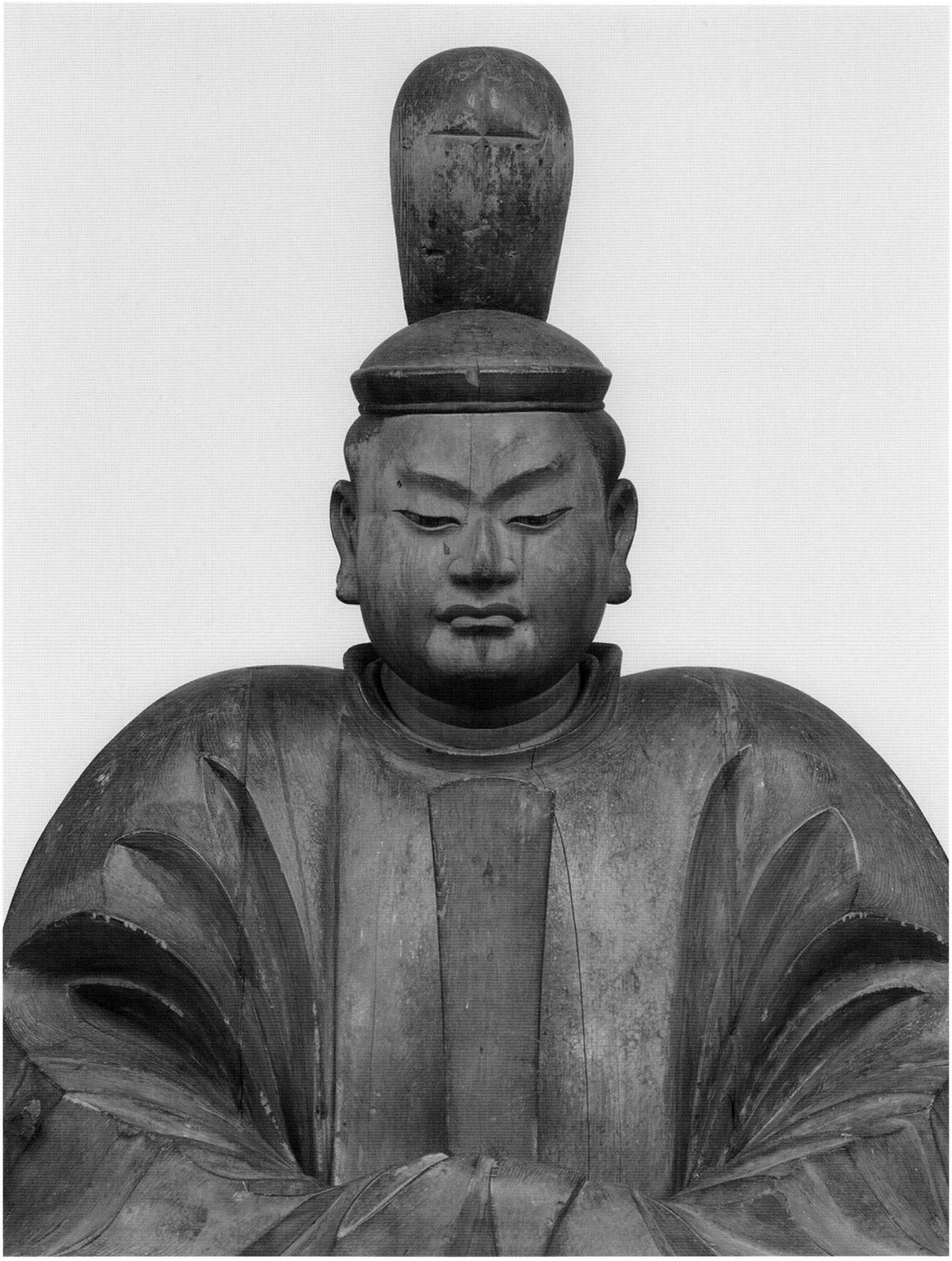

（部分）

（息長足姫坐像）

（比売神坐像）

国宝
7 白糸威鎧 兜・大袖付
鎌倉時代 一四世紀
出雲市 日御碕神社

9 白糸威鎧　復元
明珍宗恭
平成八年（一九九六）
出雲文化伝承館

（7 部分）

重要文化財

10−1 梨地笹龍膽紋糸巻太刀拵

江戸時代 一七～一八世紀

東京国立博物館

10−2 梨地笹龍膽梅枝紋蒔絵太刀箱

江戸時代 一八世紀

東京国立博物館

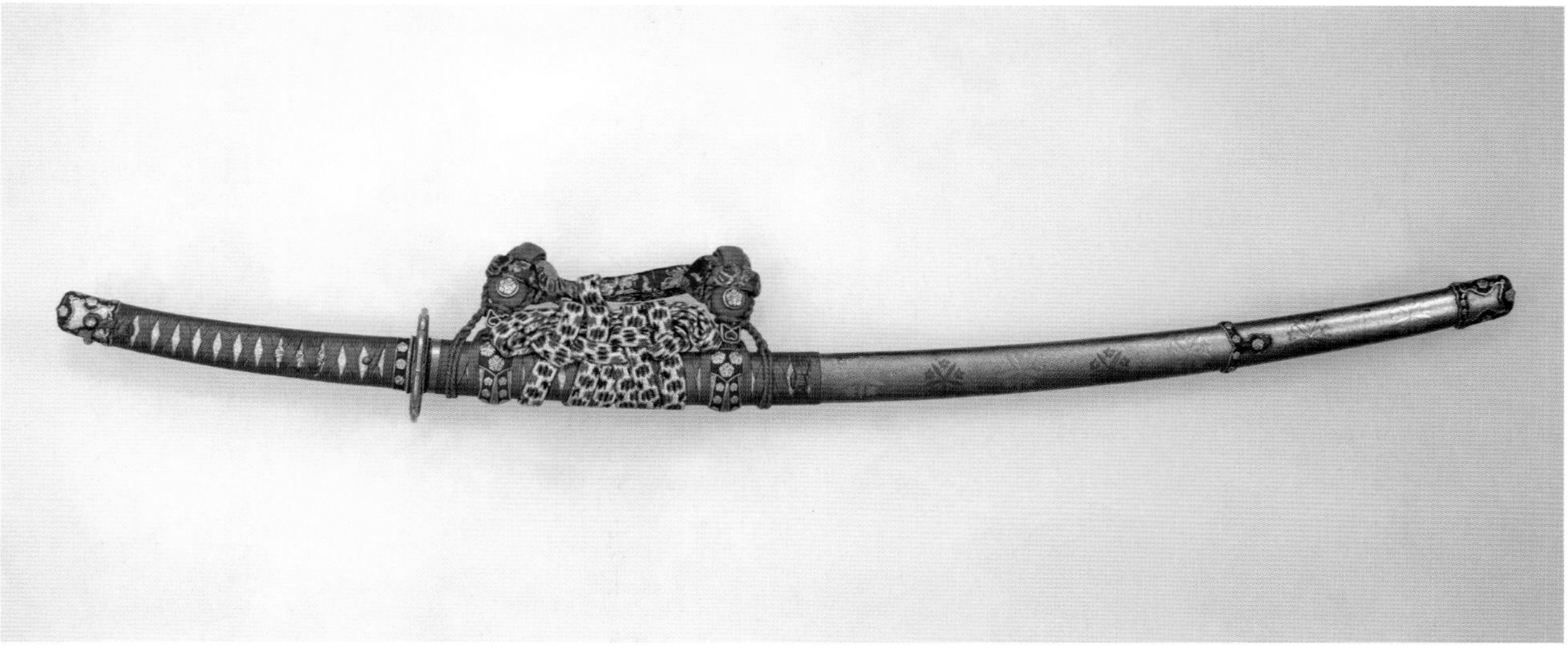

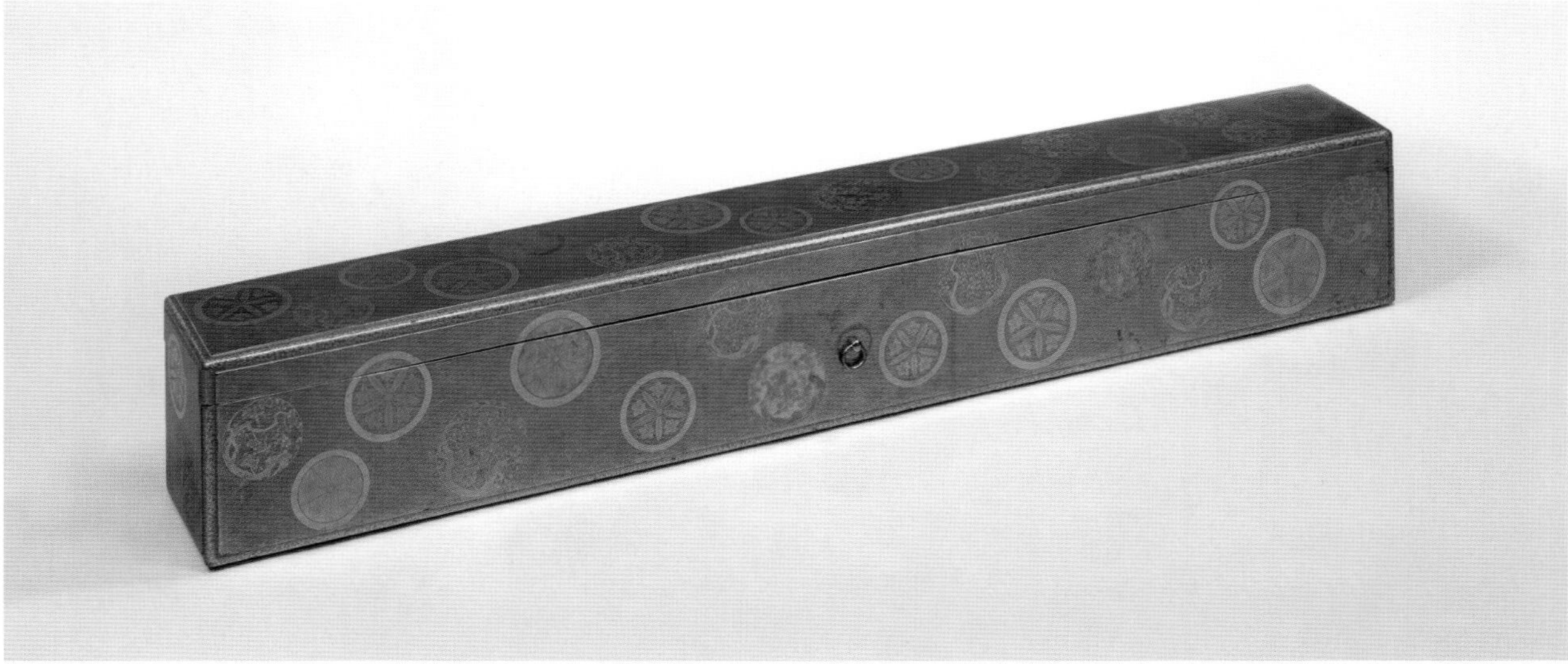

（上巻）

11
百合若物語絵巻
江戸時代　一八世紀
東京国立博物館

（中巻）

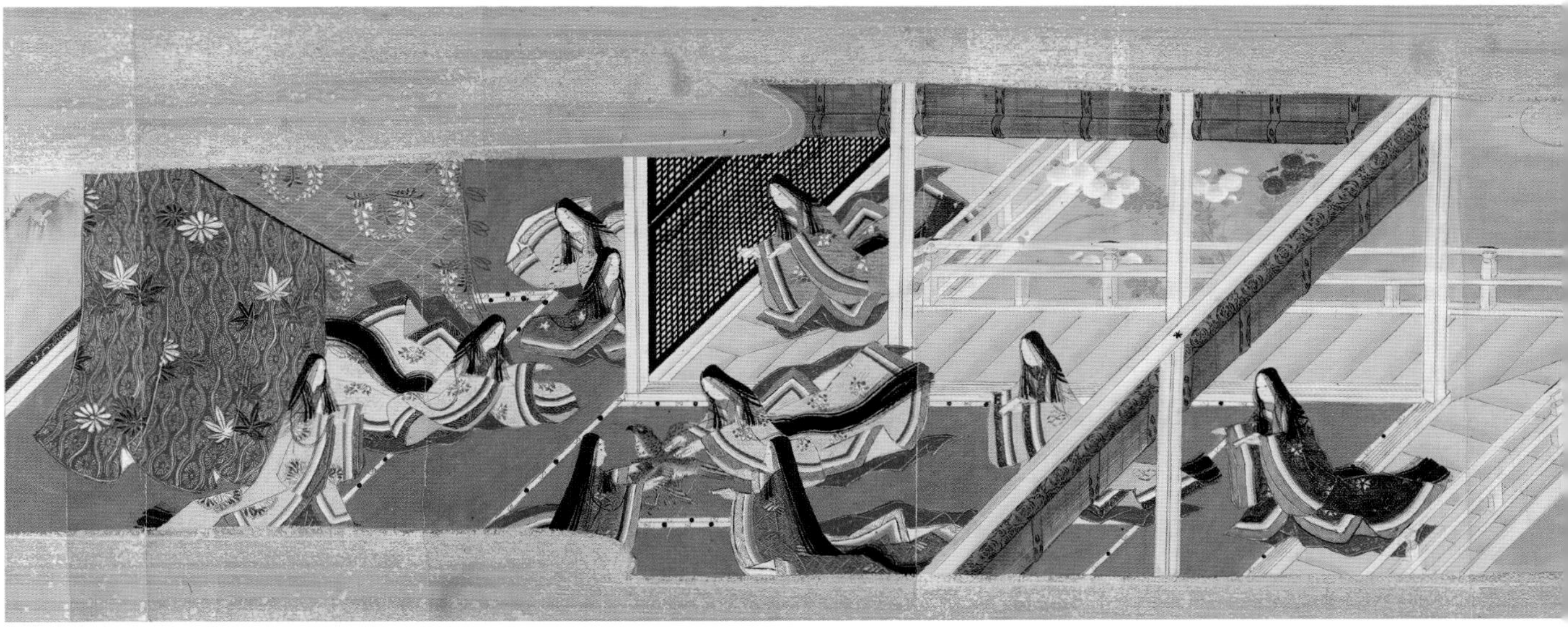

（11　部分）

第二章

まぼろしの洛中洛外図と松江藩主の大名行列図

雲州松江藩松平家初代藩主直政《なおまさ》と九代斉貴《なりたけ》は、将軍の名代《みょうだい》として、天皇の即位の大礼のために上洛参内《さんだい》する大役を勤めています。大役を終えた後、直政は将軍家綱《いえつな》に秘蔵の「洛中洛《らくちゅうらく》外図《がいず》」を献上し、斉貴は記念として上洛時の長大な行列絵巻を描かせました。
また藩主は時に領内も巡視しました。本陣では、藩主の御成《おな》りにふさわしい部屋の飾り付けを心がけるなかで、優れた美術工芸を収集する審美眼《しんびがん》を育んでいきました。

12 **松平直政像**
近代　二〇世紀
松江市　月照寺
（部分）

◆まぼろしの洛中洛外図――松平直政による即位参賀

江戸時代、松江松平家は二度にわたって将軍の名代として京における天皇の即位の大礼に出向いている。

一度目は初代直政《なおまさ》（一六〇一～六五）が勤めている。直政は結城秀康《ゆうきひでやす》の三男。祖父は徳川家康。大坂の陣（一六一四・一五）で戦功を挙げ、越前大野（五万石）、信州松本（七万石）を経て、寛永一五年（一六三八）には出雲一国（一八万六〇〇〇石）を与えられ、国持《くにもち》大名となった。

寛文三年（一六六三）四月五日、直政は前年一一月の幕命を受けて京へ向かった。『越前家譜』（結城秀康を祖とする一門を「越前家《えちぜんけ》」という）によれば、この時供奉した者二七〇〇余人、国元から上洛した者を含めると三五〇〇余人に達した。当時皇室は、仙洞《せんとう》御所に霊元天皇の父・後水尾院《ごみずのお》が女院《にょういん》（東福門院）とともにあって院政をしき、姉の明正《めいしょう》天皇、兄の後西《ごさい》天皇はいずれも即位後数年で譲位、それぞれ本院、新院と称されていた。同二八日、直政は、新天皇、院に加えて、後西院の明子女御《にょうご》、女三宮《おんなさんのみや》（後水尾院娘明子内親王）、女五宮（同賀子内親王）に拝謁。天皇はじめ摂政二条光平《みつひら》らへの献上品は、金銀だけでも白銀二〇一〇枚、黄金七〇両に及んだ。

五月四日、直政は参内して従四位下侍従から正四位下へ昇進の叡旨を伝えられたが固辞、同二六日、江戸城において将軍へ復命後も昇進を受けるよう命じられたが再び固辞、最終的に従四位上左近衛権少将を受けた。これは忠直に代わり越前家の宗家となった兄松平忠昌《ただまさ》が正四位下参議であることを念頭に置いたのだろう。

さてここで注目されるのは、直政が昇進の御礼として「古《こ》法眼《ほうげん》元信《もとのぶ》筆洛中図屏風一双」（『徳川実紀』）を将軍家綱に献上していることである。「古法眼元信」は漢画と大和絵を融合させて狩野派の画風を産み出した狩野元

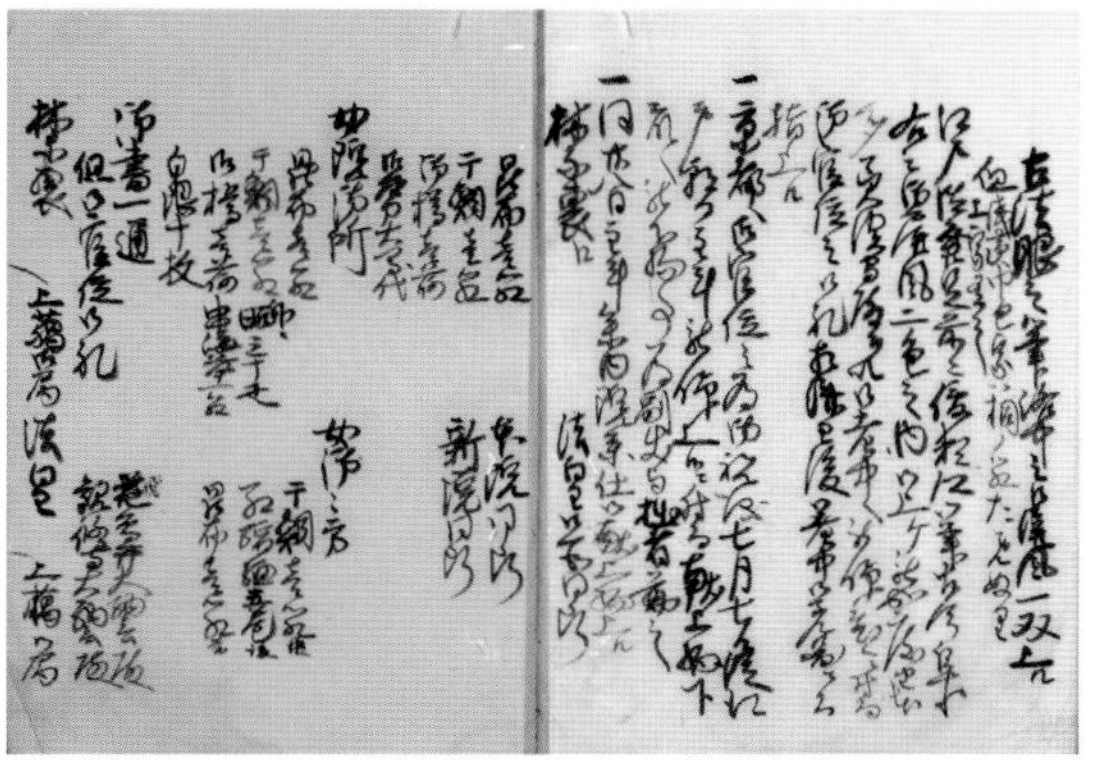

13-1

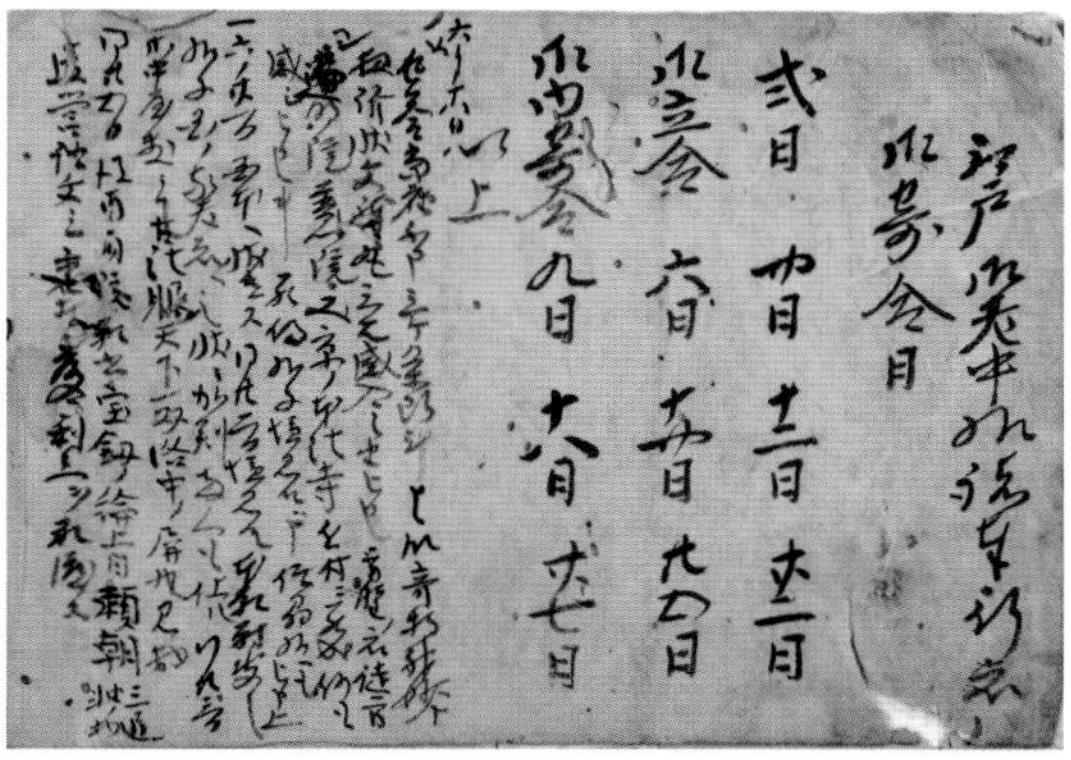

13-2

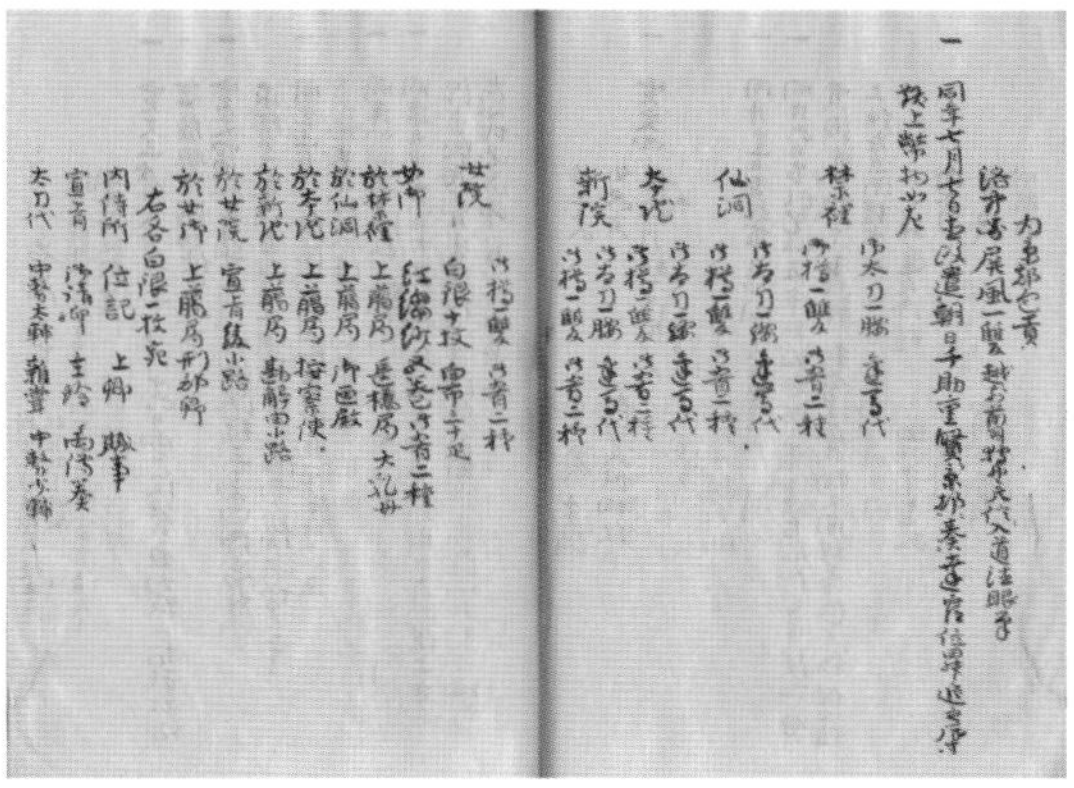

13-3

13-1 **御即位為御名代直政公上洛**
江戸時代　寛文三年（一六六三）
文政一一年（一八二八）書写
古代出雲歴史博物館

13-2 **本願出入ニ付江戸日記**
佐草自清
江戸時代　寛文二年（一六六二）
個人蔵

13-3 **越前家譜**
江戸時代　一九世紀
個人蔵

信（一六七六～一五五九）である。

この屏風について黒田日出男氏は、①家綱の没後この屏風は御台所《みだいどころ》（鷹司氏）に形見分けされ、御台所の没後葬られた上野寛永寺に納められたのではないか、②本図の行方は不明だが、これを模写したものが東京国立博物館所蔵の模本（「東博模本」。本展出陳15）であろう、と推定する。とするならば、直政が所持していた洛中洛外図は、年代的に現存最古の歴博甲本（重文・国立歴史民俗博物館所蔵）と、それに次ぐ織田信長から上杉謙信に贈られた狩野永徳（元信の孫）制作の上杉本（国宝）の中間に位置することになり、特に上杉本への影響を考える上で俄然重要な作品であったことになる。

なお東京大学史料編纂所は、平成一三年（二〇〇一）、この模本を基に原図の色彩再現を試みた復元模写を制作している（本図録三四～三七頁参考画像）。

◆空前絶後の大長巻行列図——松平斉貴による即位参賀

二度目は九代藩主斉貴《なりたけ》（一八一五～六三）が一一代将軍家慶《いえよし》の名代として上洛している。斉貴は鷹及び柳営《りゅうえい》（江戸城）の故実に詳しく、格式を重んじた一方で、蘭学者の金森錦謙らを召し抱え、舶来の写真機を購入して撮影させるなど進取の気性に富んでいた。また家臣の言を容れない専断的傾向もあり、嘉永六年（一八五三）に隠居。津山松平家から養子入りした定安は斉貴の開明的路線を継承し、藩校の整備、軍備の洋式化を図った。

斉貴が将軍の名代として上洛した孝明天皇の即位は弘化四年（一八四七）。九月二日江戸赤坂の上屋敷を発ち、同二三日に参内して即位を奉賀、一〇月二一日将軍に復命し、勅により従四位上に昇進した。

直政の上洛以来実に一八四年ぶりの大役を無事終えて、恐らくその勲功と松江松平家の供揃えの偉容を後世に伝えるために制作されたのが「松平

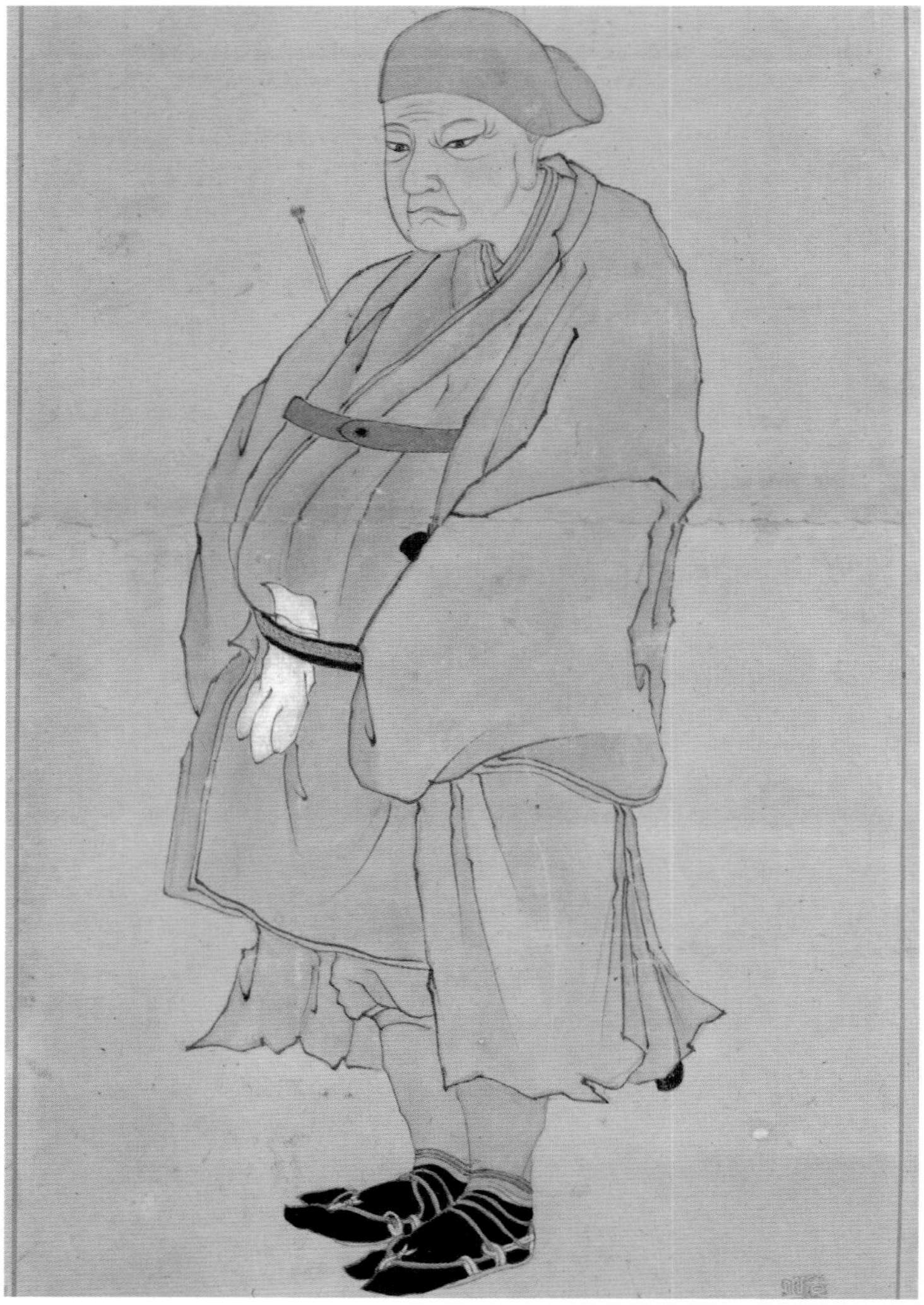

16 **松平斉貴像**
江戸時代　一九世紀
島根県立図書館
（部分）

斉貴上京行列図」（本展出陳20）。全五巻、全長一〇六メートル、総勢一七六七人を描いた、大名行列図としては空前絶後の大長巻である。しかも本図のほかに草稿（本展出陳17）、第二稿（同18）、完成見本（同19）も現存しており、完成に至るまでの制作過程が窺われるのも興味深い。描かれた人物、道具類が厖大であり、ともすれば装束や道具の形状、色彩、家臣の荷物に付された家紋などを齟齬《そご》しやすいため、正確を期するために念を入れて制作したのだろう。御用絵師といえば、御殿の調度品としての軸物、屏風、ふすま絵などを主たる業務としたと考えられ易いが、現在では映像として記録する事柄を、当時は絵画で記録する役割も担っていた。とはいえ、これだけ細かく丁寧な描写で長巻の大作を仕上げるとなれば、絵師や工房も相応の期間を要したことは間違いなく、藩としても制作にかかる相当な経費を負担したことが推測される。

◆時代の転換と天皇

さて、直政と斉貴が奉賀した霊元天皇、孝明天皇は、興味深いことに、それぞれ幕藩体制下における朝幕関係の対立から協調への転換、近代国家への転換の道筋をつける大きな役割を果たしている。

幕藩体制下の天皇家は、政治の実権は幕府が掌握していたものの、日本の帝王として神祇に国家の安寧を祈り、公家を統《す》べ、官位の任免権を有していた。幕府は社会秩序の安定、幕府の権威維持のためにこのような権能を果たすことを望んでいた。一七世紀の段階では、かかる朝幕の関係を確立して朝廷を管制下に置こうとする幕府側と、一方的な統制に反発する天皇との確執が繰り広げられていた。

幕府の統制に対して天皇は、制約の多いその立場を退き、院政を敷いて摂家以下を指揮することで対抗しようとした。三代将軍秀忠の圧力により娘の和子（東福門院）を女院として迎えた後水尾天皇は寛永六年（一六二九）

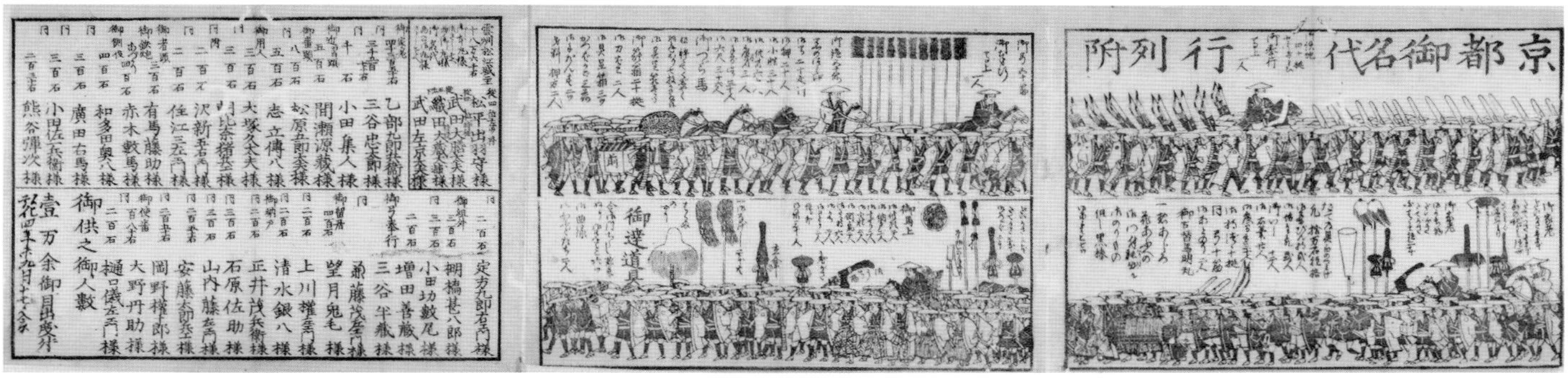

21
摺物　京都御名代行列附
江戸時代　弘化四年（一八四七）
古代出雲歴史博物館

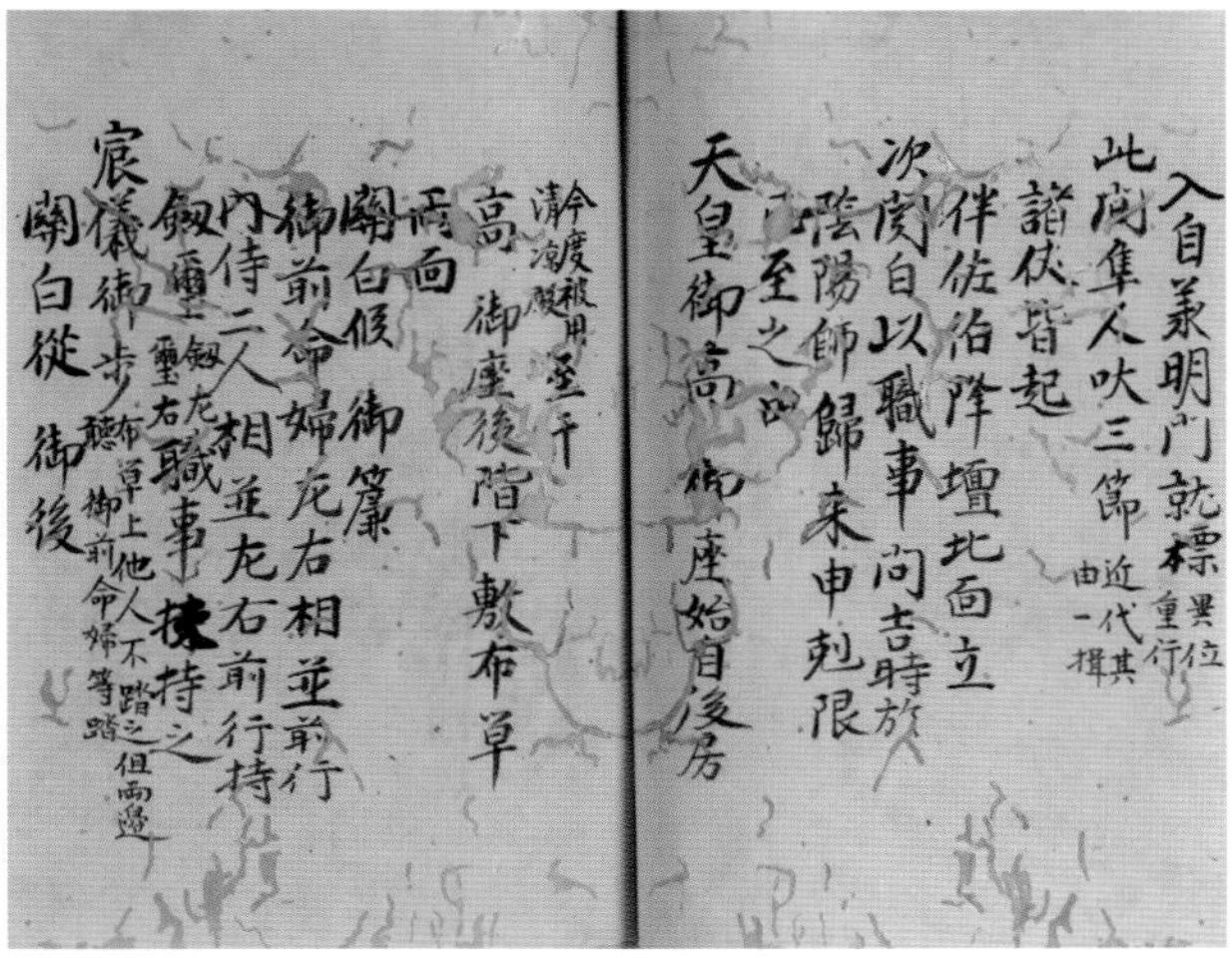

22
御即位御次第
江戸時代　弘化四年（一八四七）
出雲市　北島家

に譲位。以後天皇四代、五〇年にわたって院政を敷いた。霊元天皇も貞享四年（一六八七）に院政を敷き、東山天皇の治政を挟んで享保二年（一七一七）に及んだ。このなかで注目されるのは、霊元上皇が幕府の反対を押し切って東山天皇の即位に際して大嘗祭《だいじょうさい》を約二〇〇年ぶりに再興したこと、院政の後半では朝幕関係が好転し、協調関係が確立したことである。

一方孝明天皇は、即位の前年の弘化三年（一八四六）八月、米仏の相次ぐ来航を受けて、海防強化の勅令を発し、異国船渡来に関する対外情勢を上奏するよう併せて命じた。対外的危機に対して挙国一致で臨む方針に向かっていた老中阿部政権はこれに従った。従来天皇の政治的意見は幕府に対して伺いを立てる形であり、採否権は幕府にあったから、この一件は天皇・朝廷の政治的地位を復活台頭させる契機となり、やがて政治の議論の場は朝廷に移り、幕府の瓦解につながった。

驚くべきことに、海防の勅書を発した当時、孝明天皇の年齢はわずか一五歳。果たして勅書にどれだけ天皇の意思が働いていたのか検討の余地はあるが、ペリー来航後の天皇の強い姿勢からみて、基本的には天皇自身の意向が少なからず働いていたとみるべきであろう。

孝明天皇の思想的背景には隠岐出身の儒学者・中沼了三《なかぬまりょうぞう》の存在があった。中沼は、崎門《きもん》学望楠派の正統を嗣ぐ鈴木遺音《すずきいおん》の継承者で、同年三月に公家の学問所として設立された学習院の講師に登用されている。また慶応四年（一八六八）の戊辰戦争では官軍の参謀、翌二年には明治天皇の侍講に任命されている。

このように将軍名代としての即位の慶賀は、将軍家の権威を背景として多数の供揃えを伴った威厳ある、かつ華やかな役務であったが、松平直政における霊元天皇即位の慶賀は幕藩体制の確立への転換点を、斉貴における孝明天皇即位の慶賀は、幕府専制から朝廷における公論衆議、近代国家への転換点を象徴する出来事として記憶されるべきものなのである。（岡）

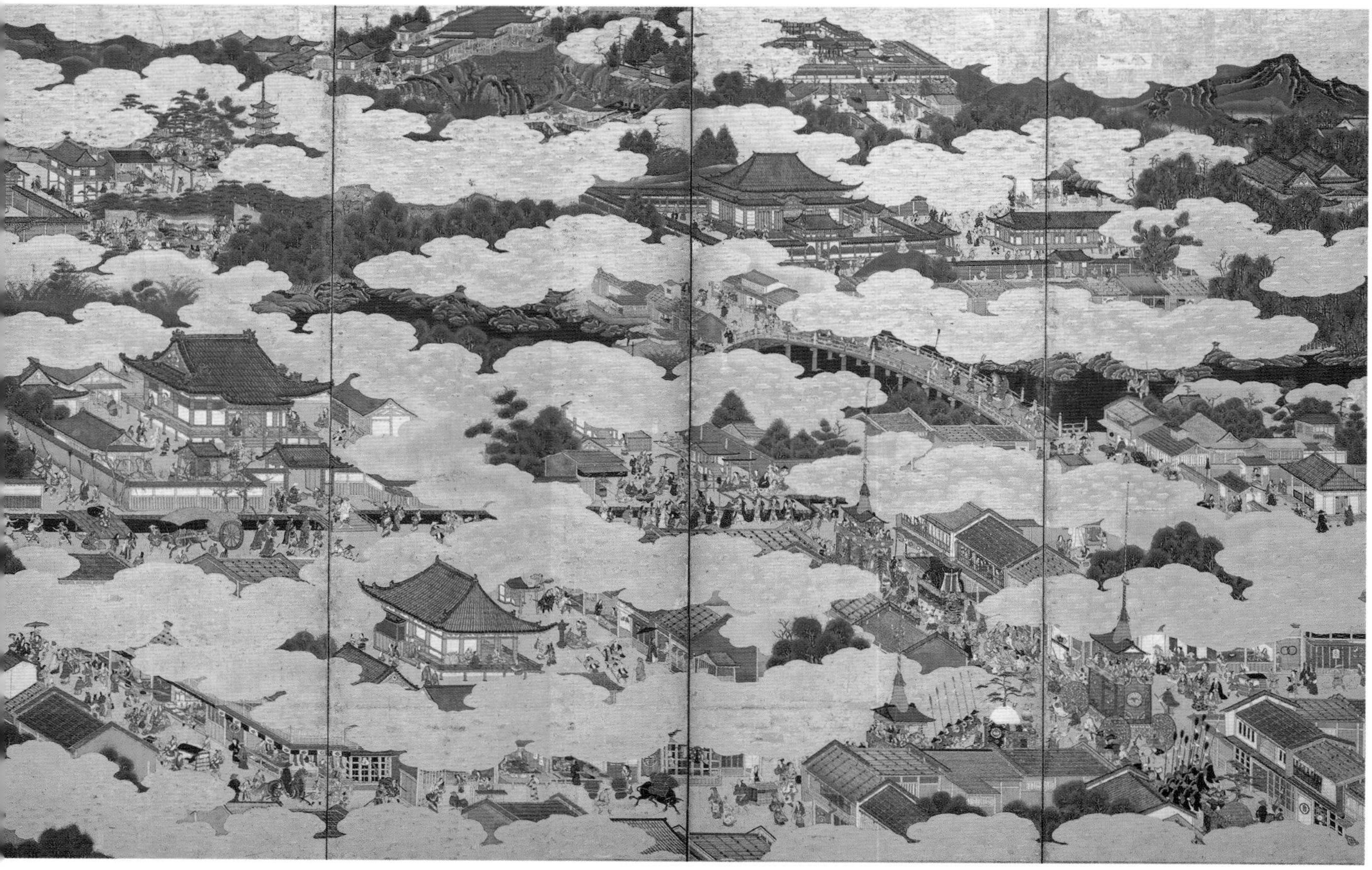

14
洛中洛外図屏風（島根県本）
江戸時代　元和年間（一六一五―二四）頃
島根県企業局

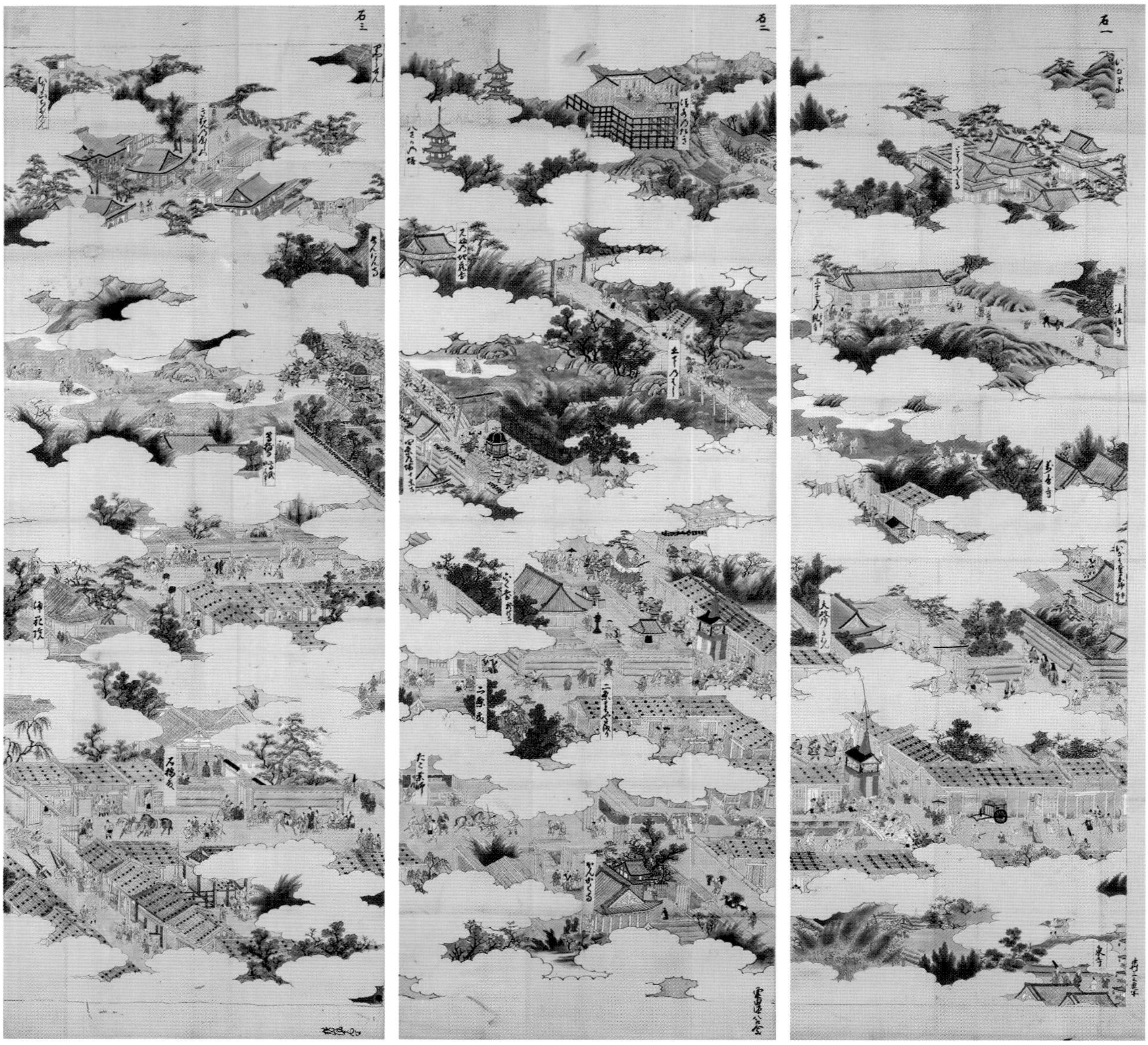

15
洛中洛外図屛風（模本　右隻）
原本：狩野元信　室町時代　一六世紀
模写：中村三之丞　江戸時代　一八世紀
東京国立博物館

（第五扇部分は亡失）

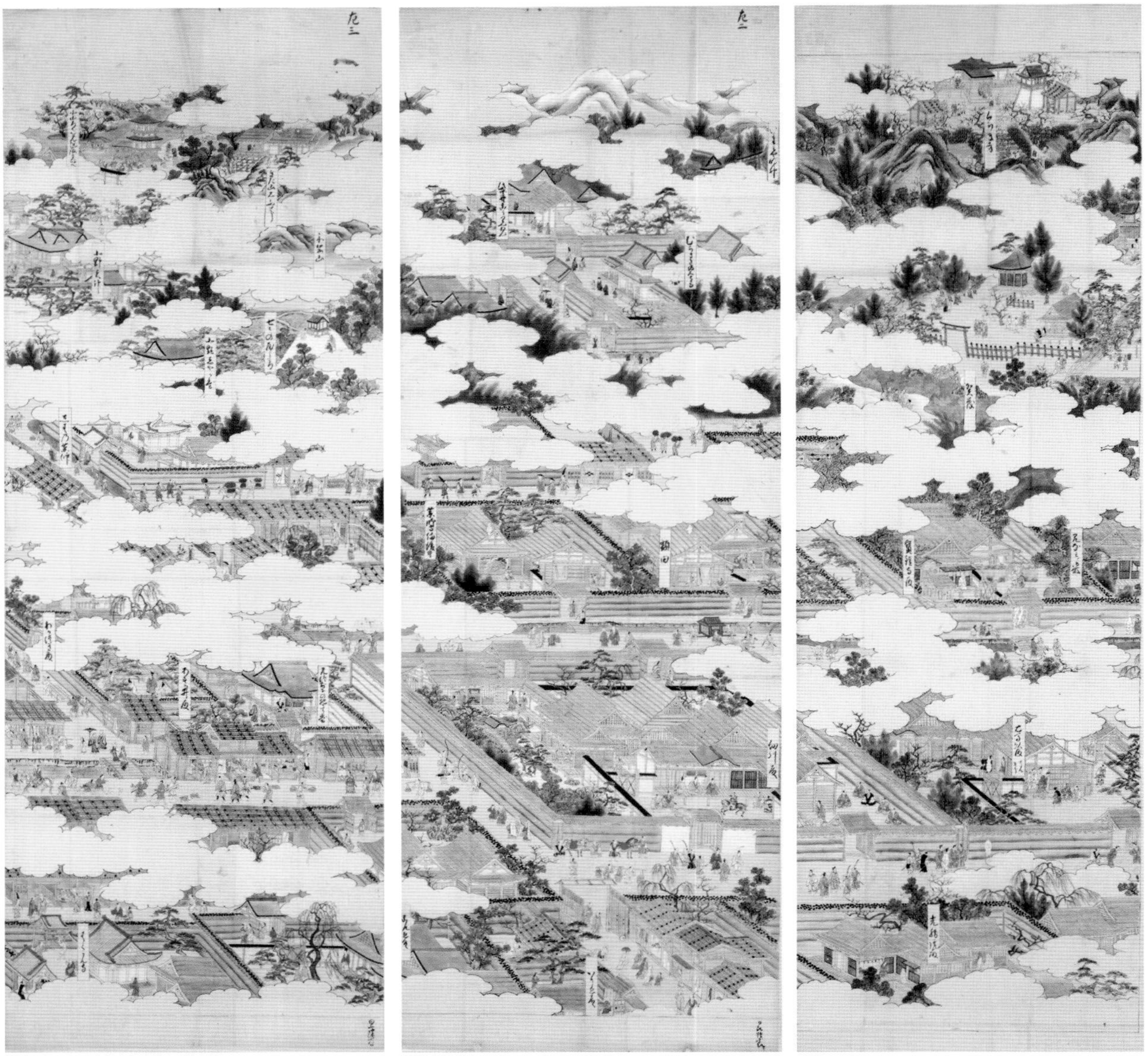

参考　洛中洛外図屏風（模本　左隻）
原本：狩野元信　室町時代　一六世紀
模写：中村三之丞　江戸時代　一八世紀
東京国立博物館

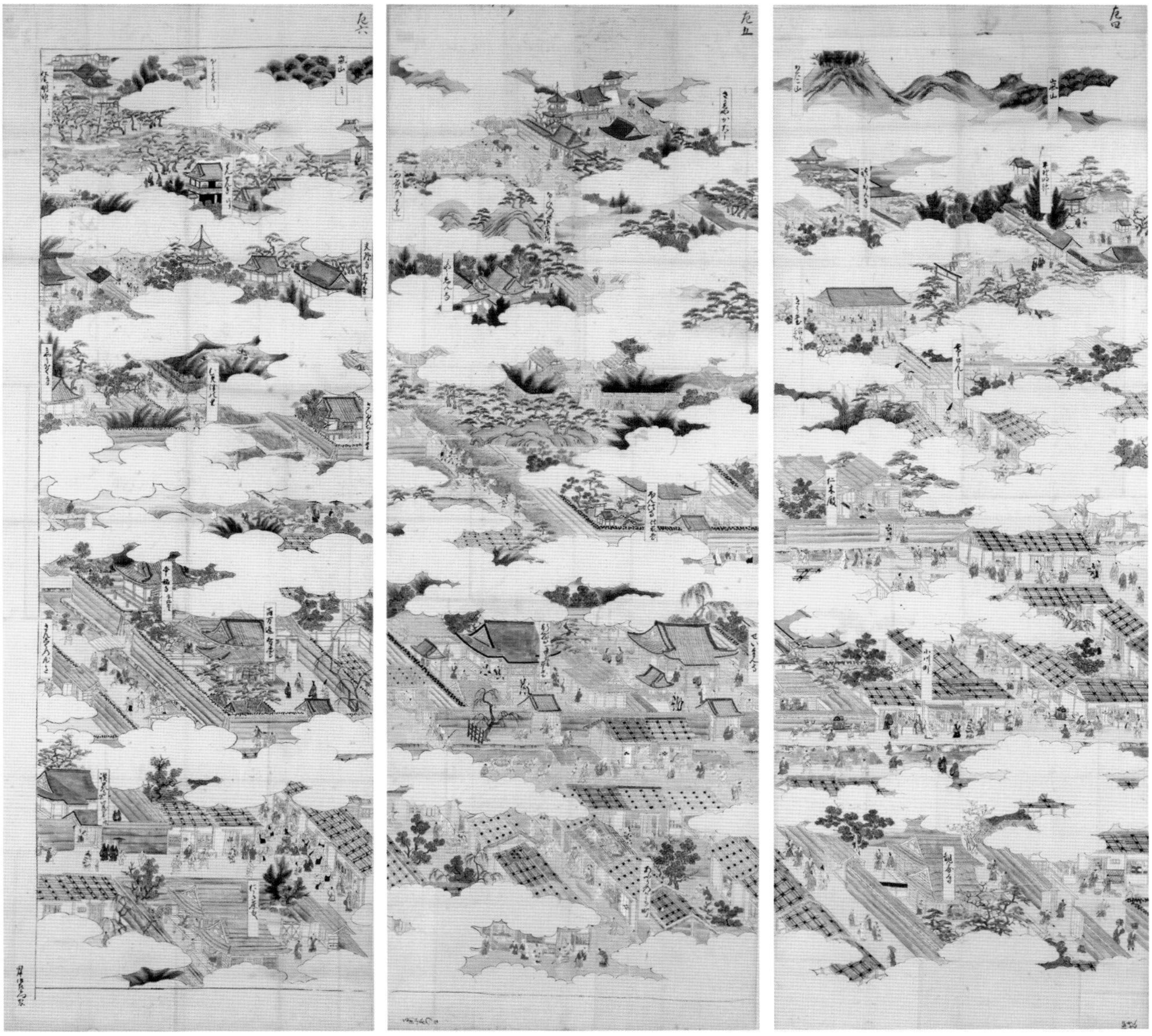

（右隻）

参考　洛中洛外図屏風（東京国立博物館本復元模写）

監修：黒田日出男・藤原重雄
制作：村岡ゆかり
東京大学史料編纂所

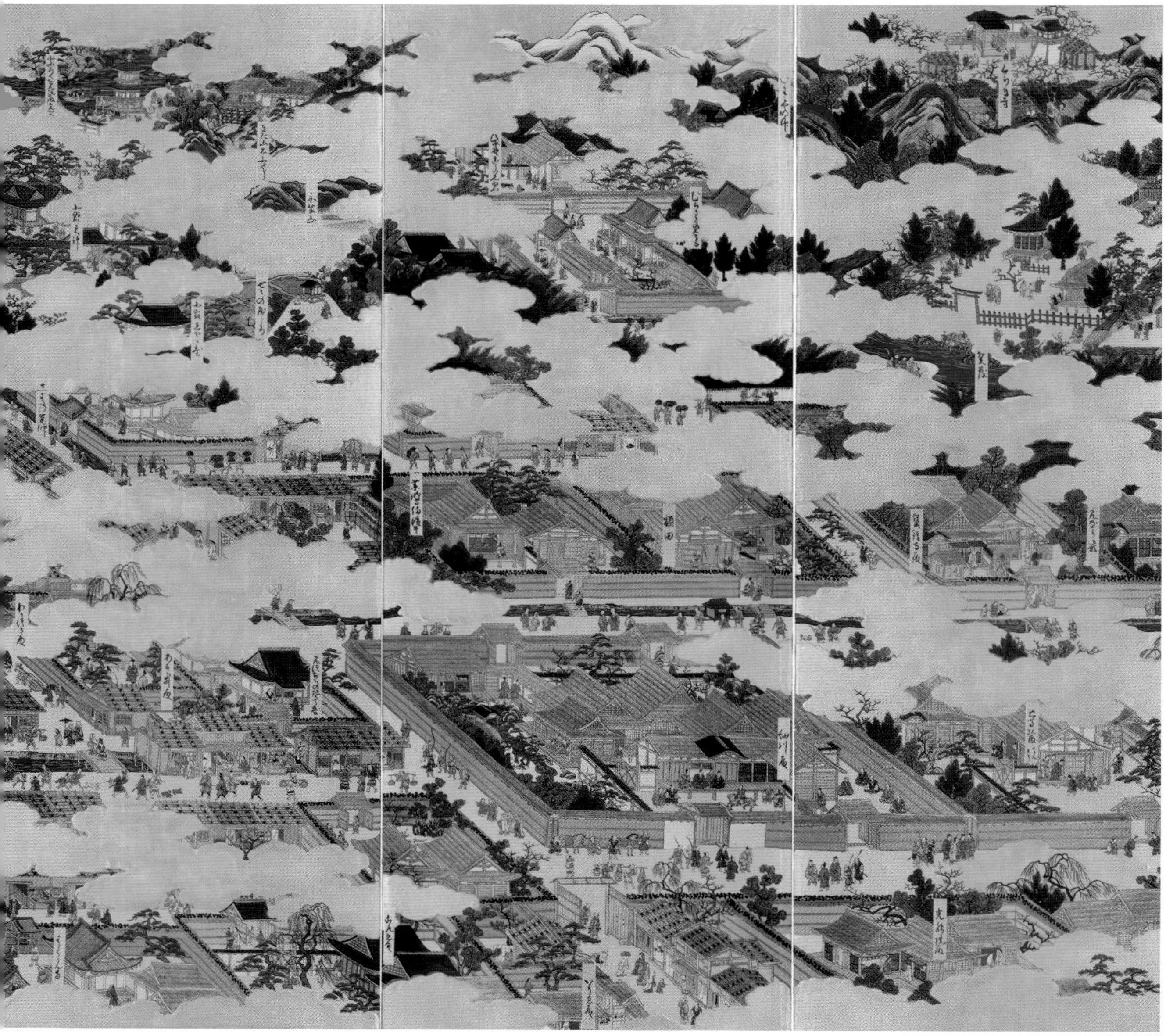

（左隻）

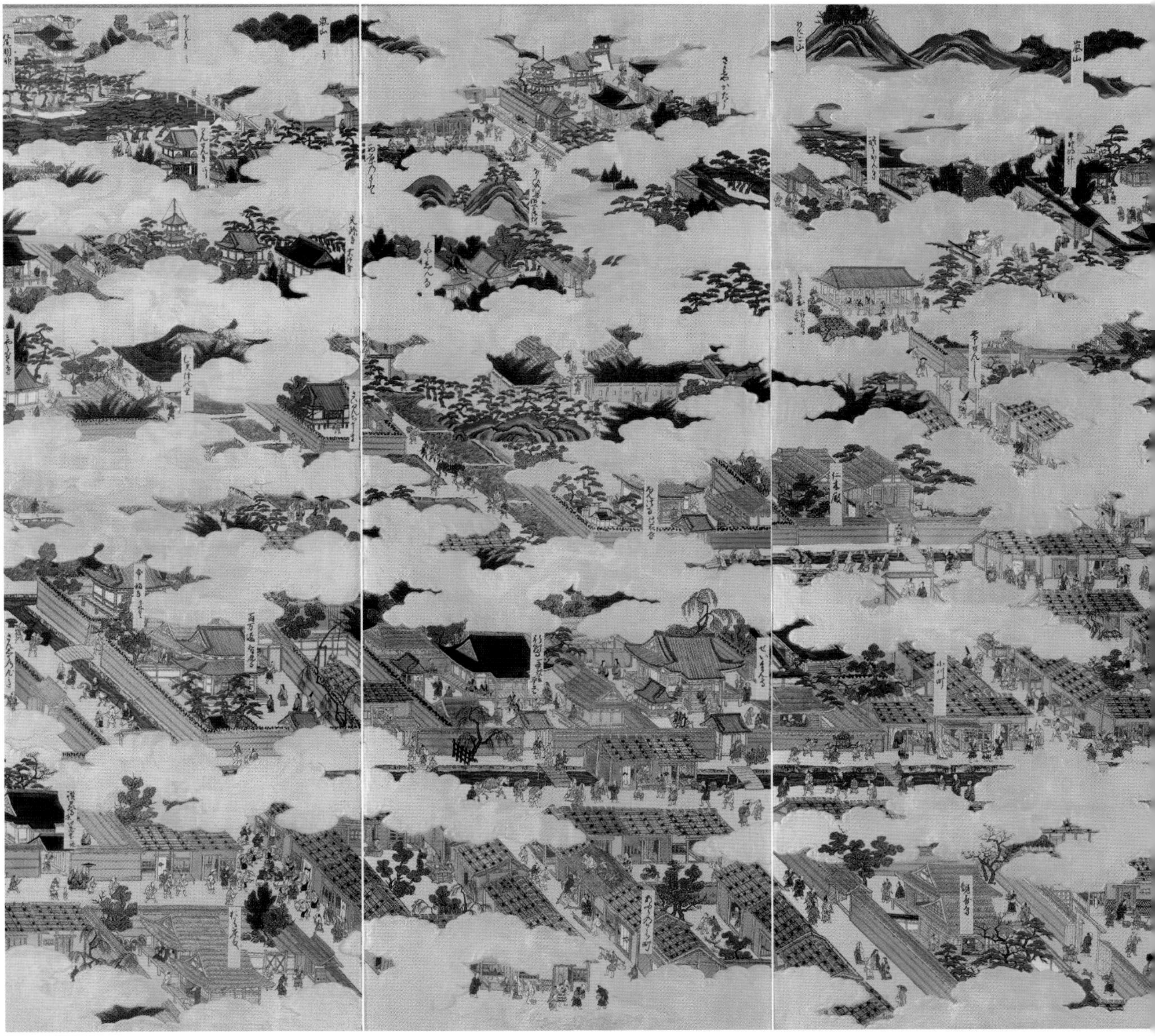

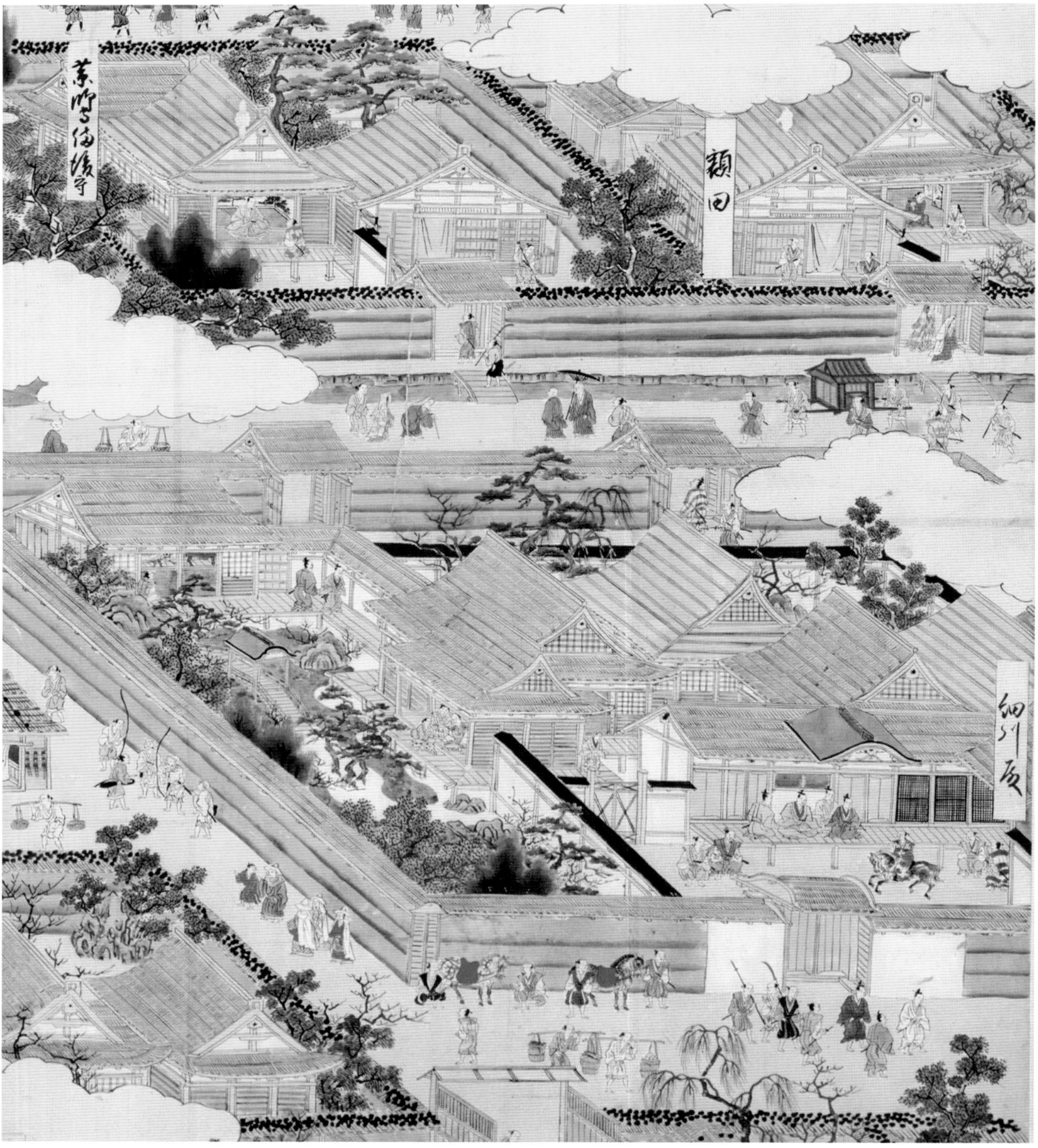

（洛中洛外図〔模本　左隻〕部分）

20-1 松平斉貴上京行列図　第一巻
陶山雅純（勝寂）
江戸時代　一九世紀
東京国立博物館

17
雲州公御上京御行列　第二巻
陶山雅純（勝寂）
江戸時代　一九世紀
古代出雲歴史博物館

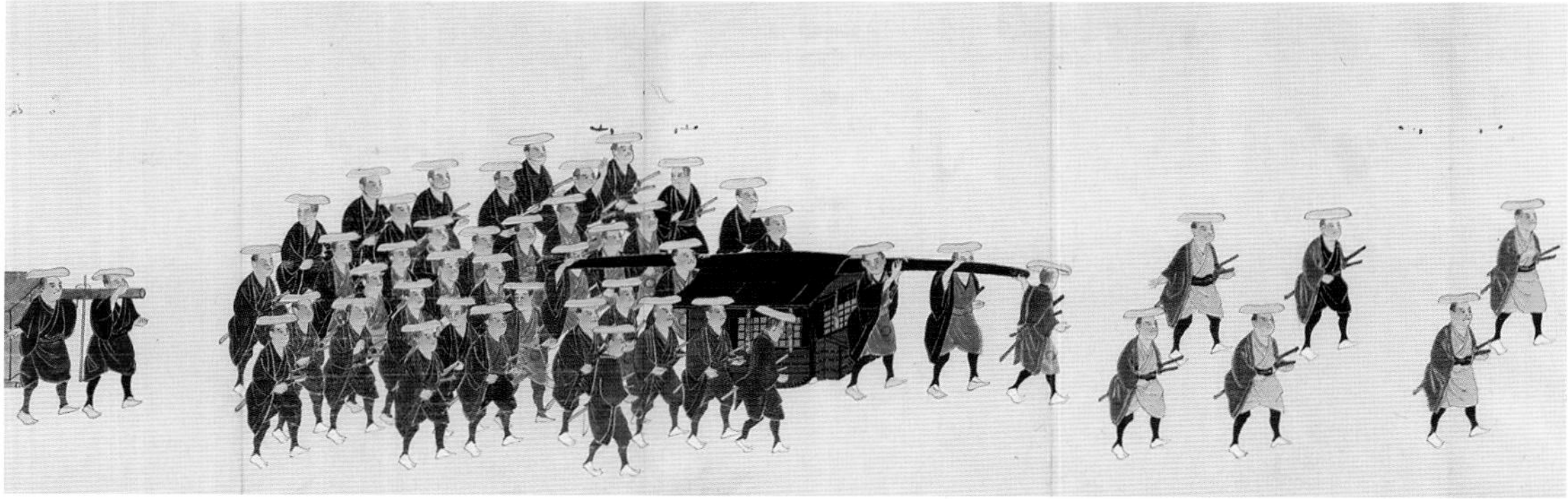

18
松平斉貴行列絵巻　第三冊
陶山雅純（勝寂）
江戸時代　一九世紀
松江市

19
松平斉貴上京行列図　上巻
陶山雅純（勝寂）
江戸時代　一九世紀
古代出雲歴史博物館

20-2 松平斉貴上京行列図　第三巻
陶山雅純（勝寂）
江戸時代　一九世紀
東京国立博物館

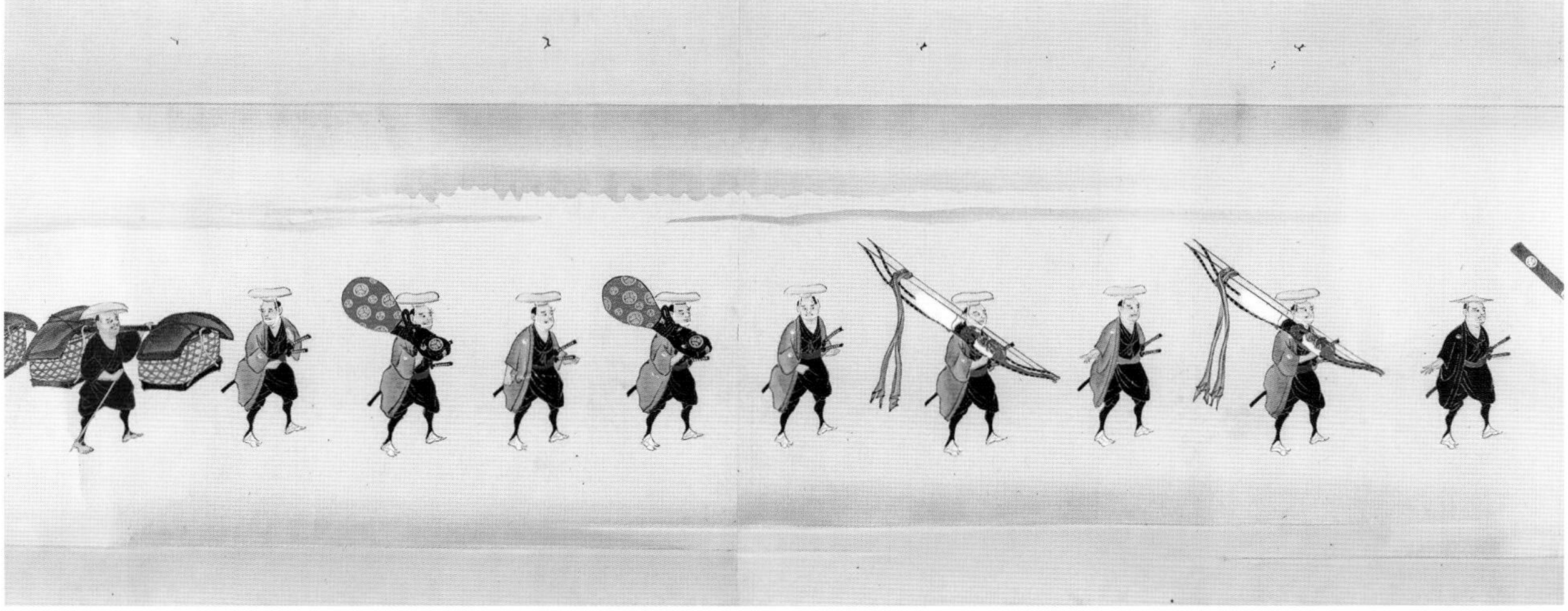

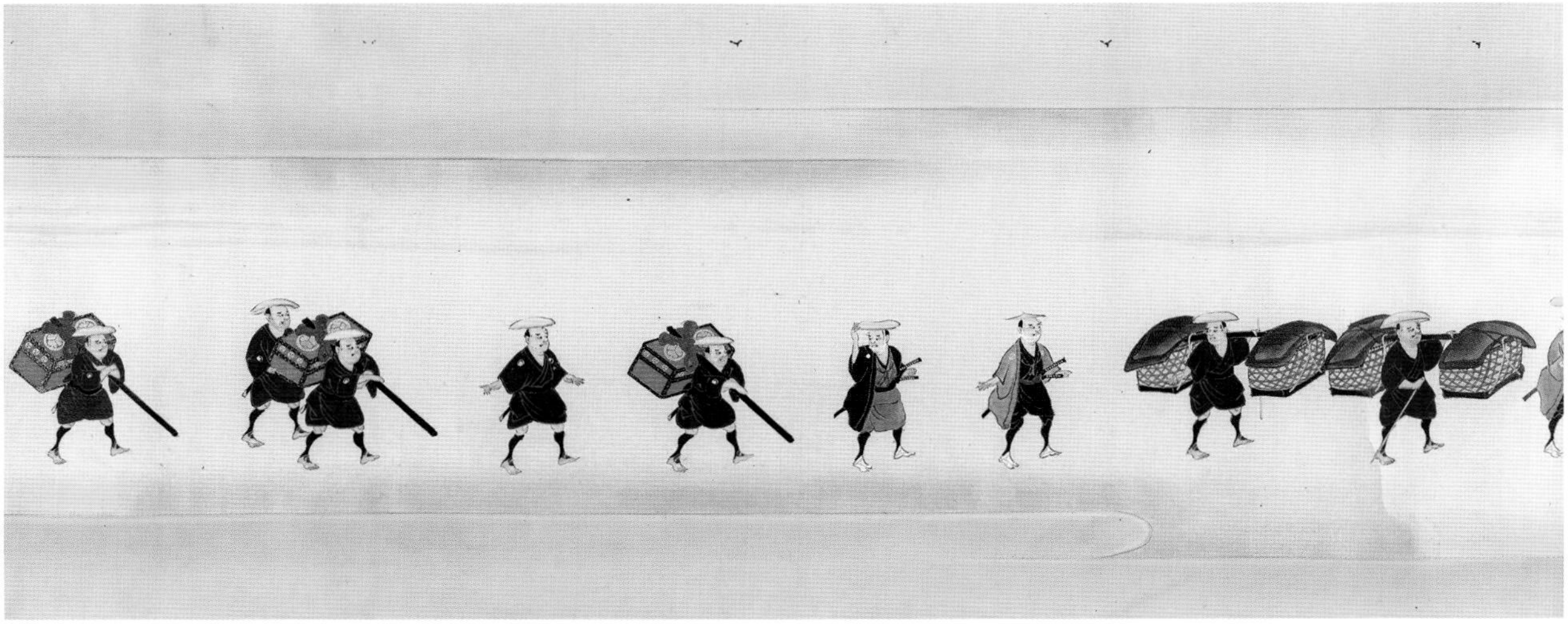

松江市指定文化財

23 太刀 銘「包平」

平安時代 一一世紀

松江市

島根県指定文化財

24-1 太刀 銘「来国光」

鎌倉～南北朝時代 一四世紀

海士町 隠岐神社

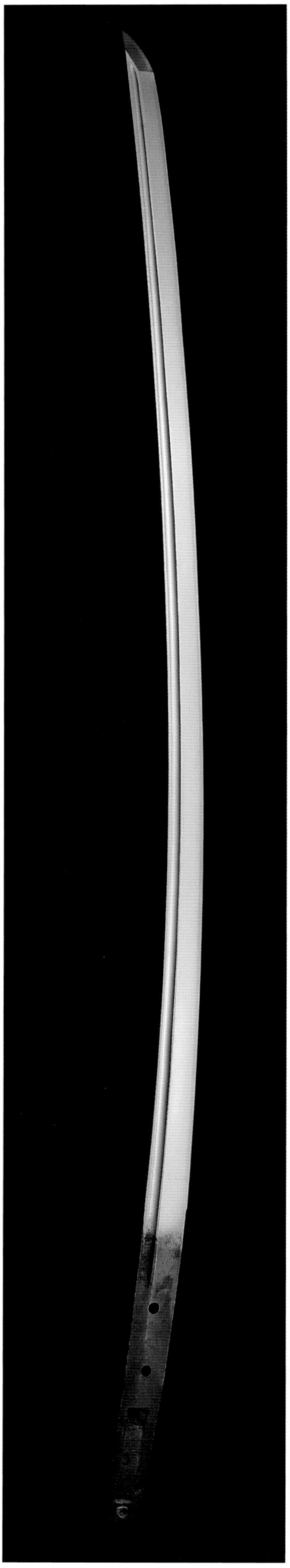

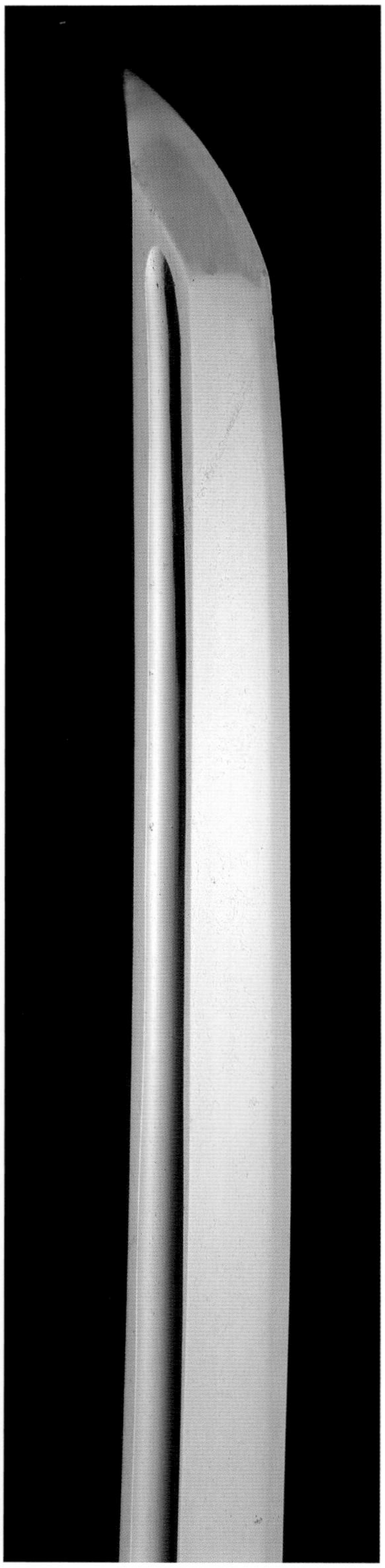

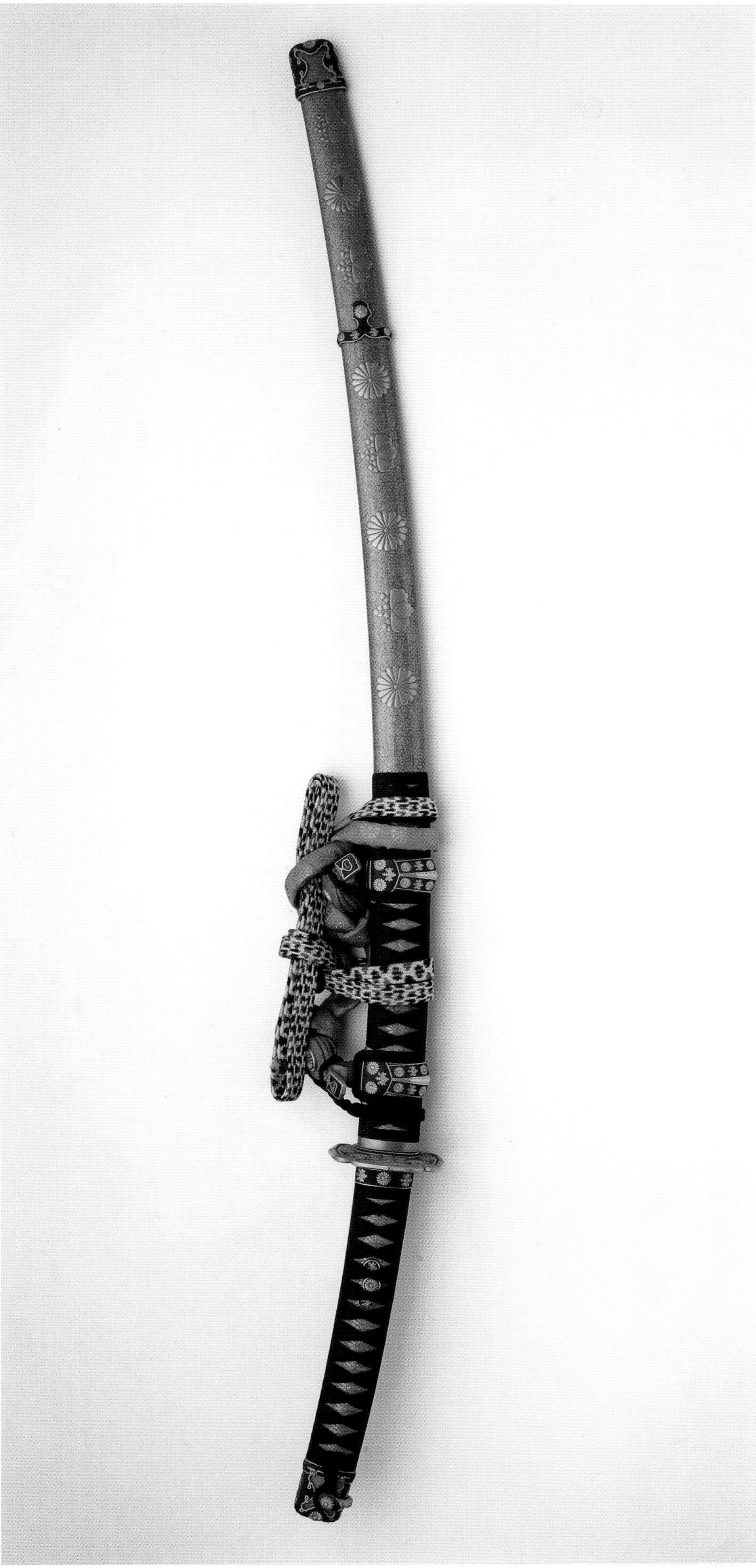

24-2 梨地菊桐紋高蒔絵糸巻太刀拵
江戸時代　一八～一九世紀
海士町　隠岐神社

25
中啓　桜に飛鳥（右）・撫子に桐（中）・薄に虫籠（左）
江戸時代　一九世紀
出雲市　北島家

表

裏

26
中啓　双鶴に波（右）・鶯梅に山波（左）
江戸時代　一九世紀
出雲市　北島家

表

裏

27
楼閣山水螺鈿箔絵印籠　附、親子犬根付
江戸時代　一九世紀
出雲市　北島家

29
金唐革床几
江戸時代　一九世紀
松江市　松江神社

28
十六葵紋総網代挟箱
江戸時代　一九世紀
東京国立博物館

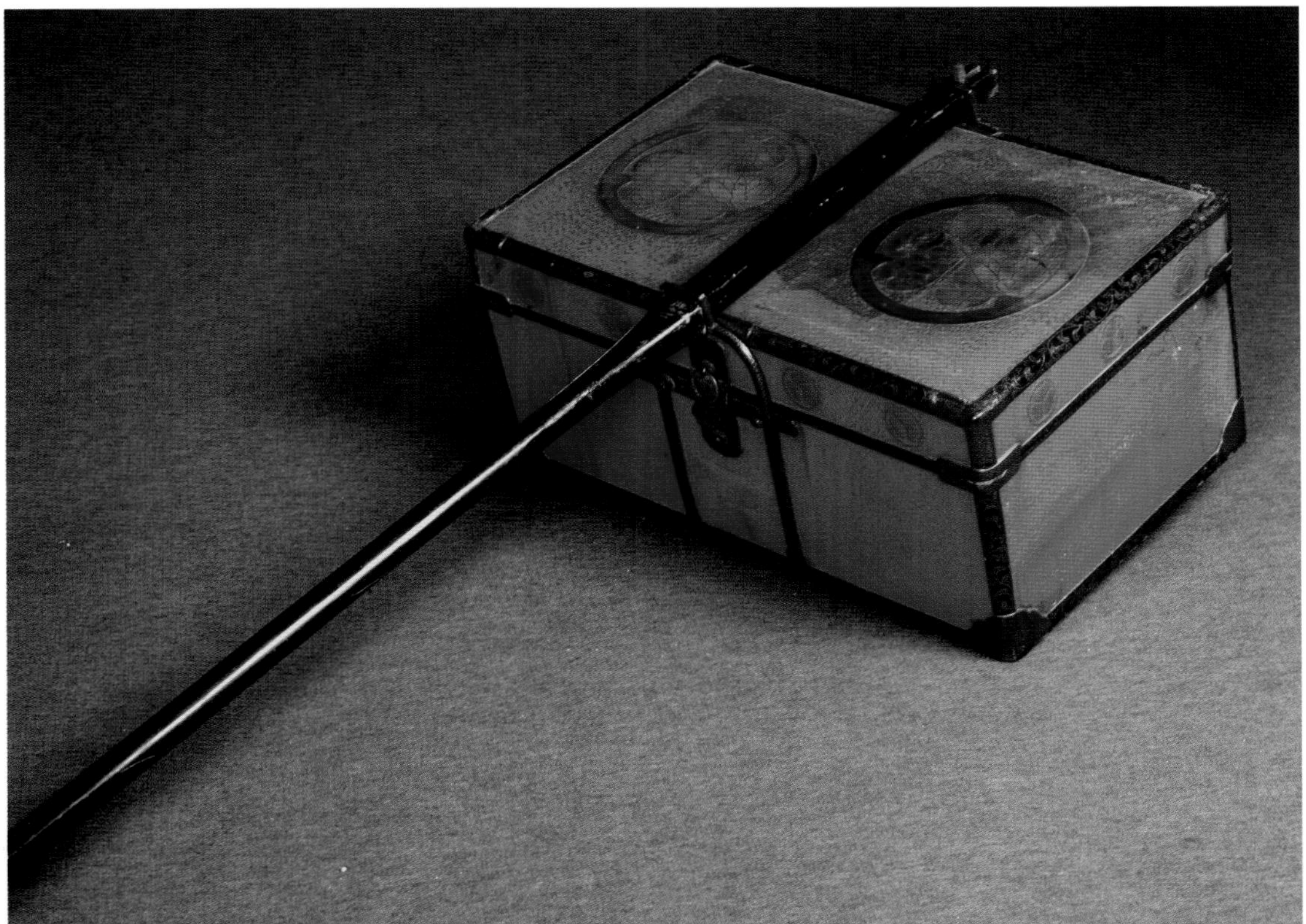

30
十六葵紋総網代挟箱
江戸時代　一七世紀
松江市　松江神社

31
道程記
田中又六
江戸時代　一九世紀
松江市

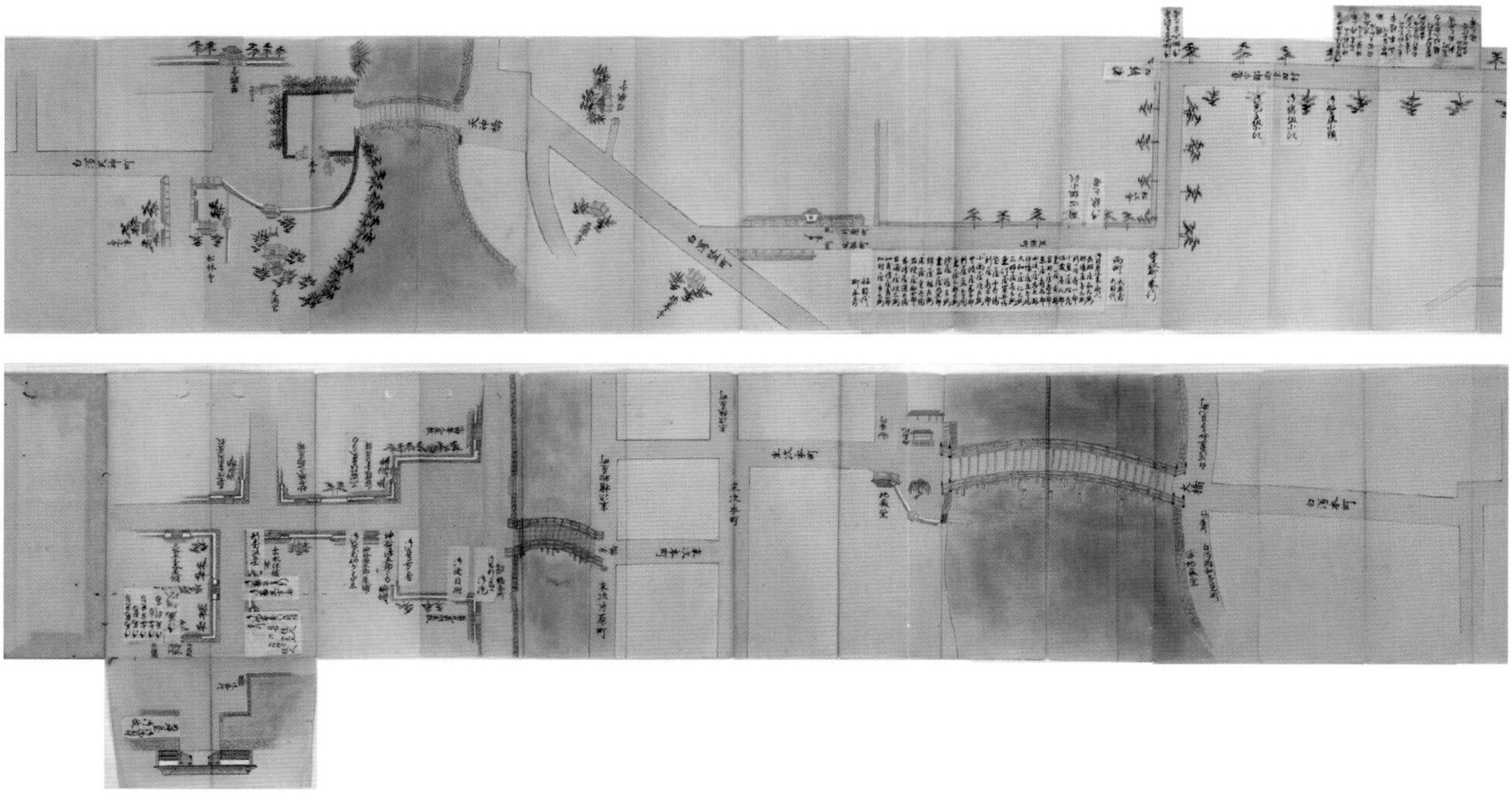

32
関札　松平出羽守宿
江戸時代　宝暦七年（一七五七）
古代出雲歴史博物館

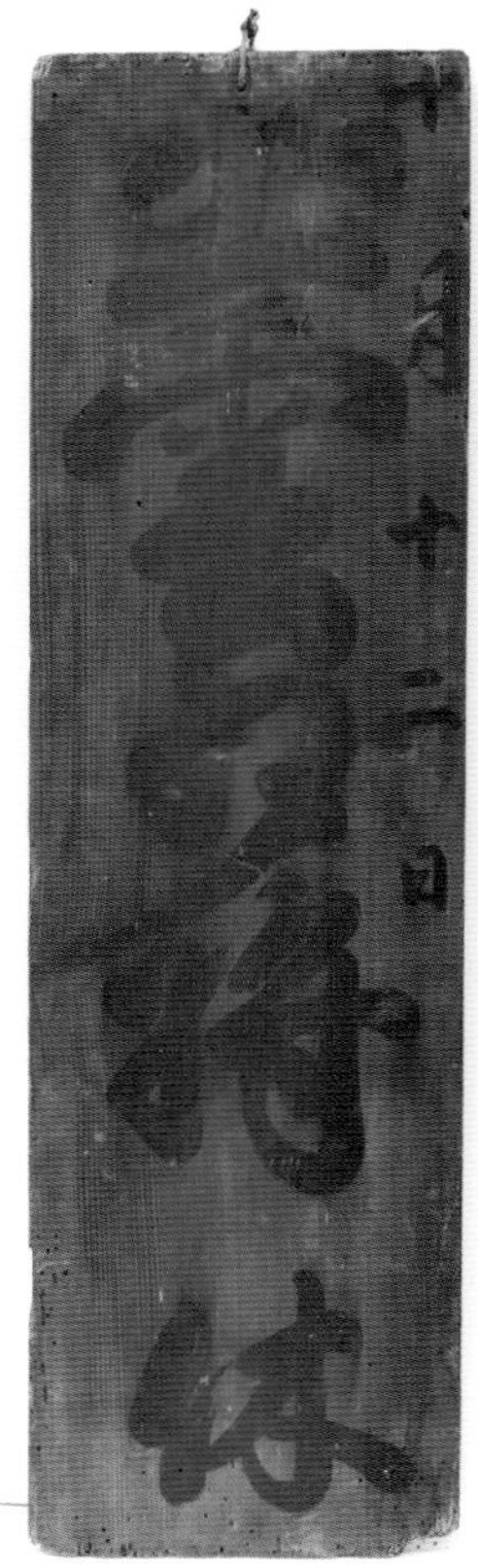

33
松平不味像
原図：江戸時代　一九世紀
模写：大正五年（一九一六）頃
古代出雲歴史博物館

35
松平不味書状
龍橋（朽木昌綱）あて
江戸時代　一九世紀
古代出雲歴史博物館

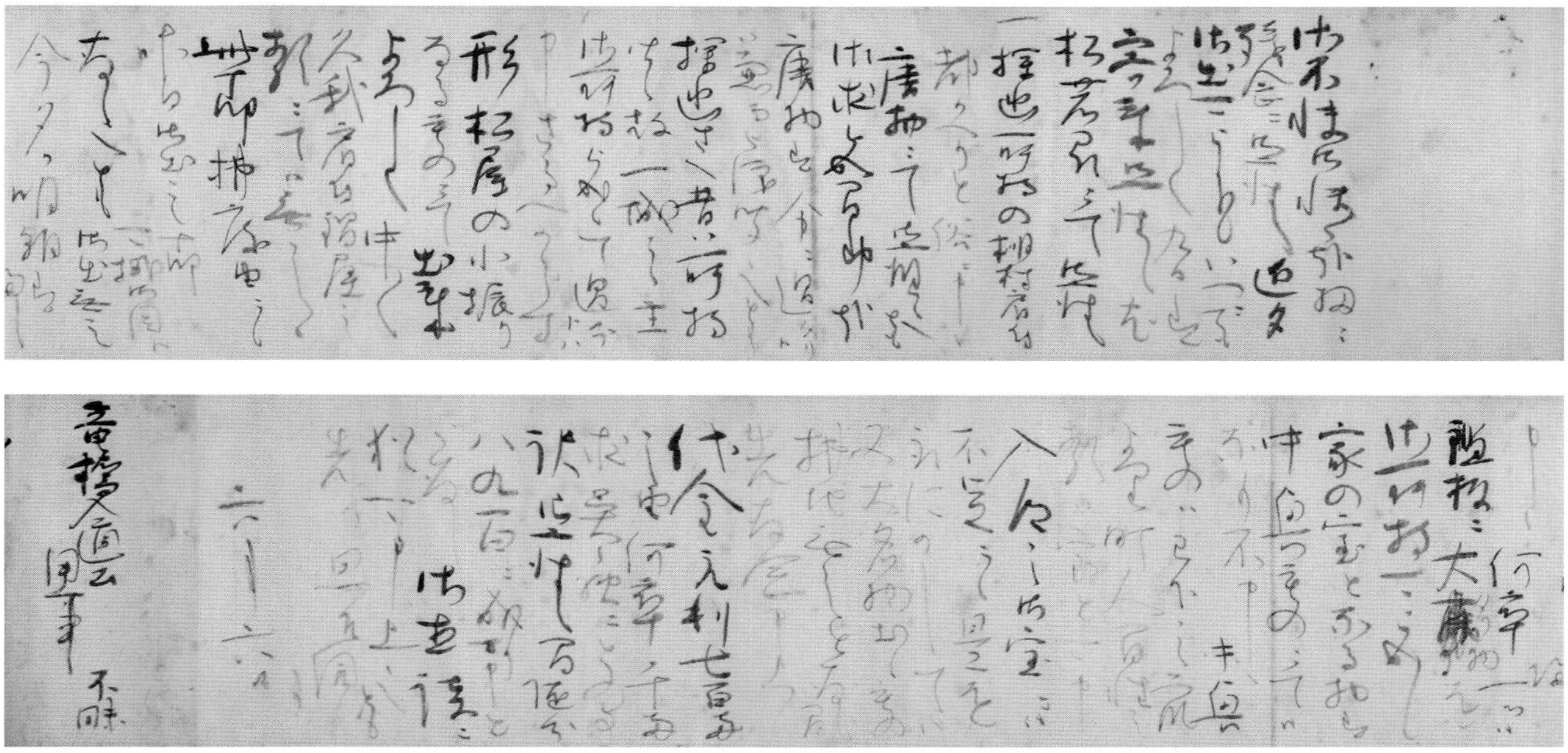

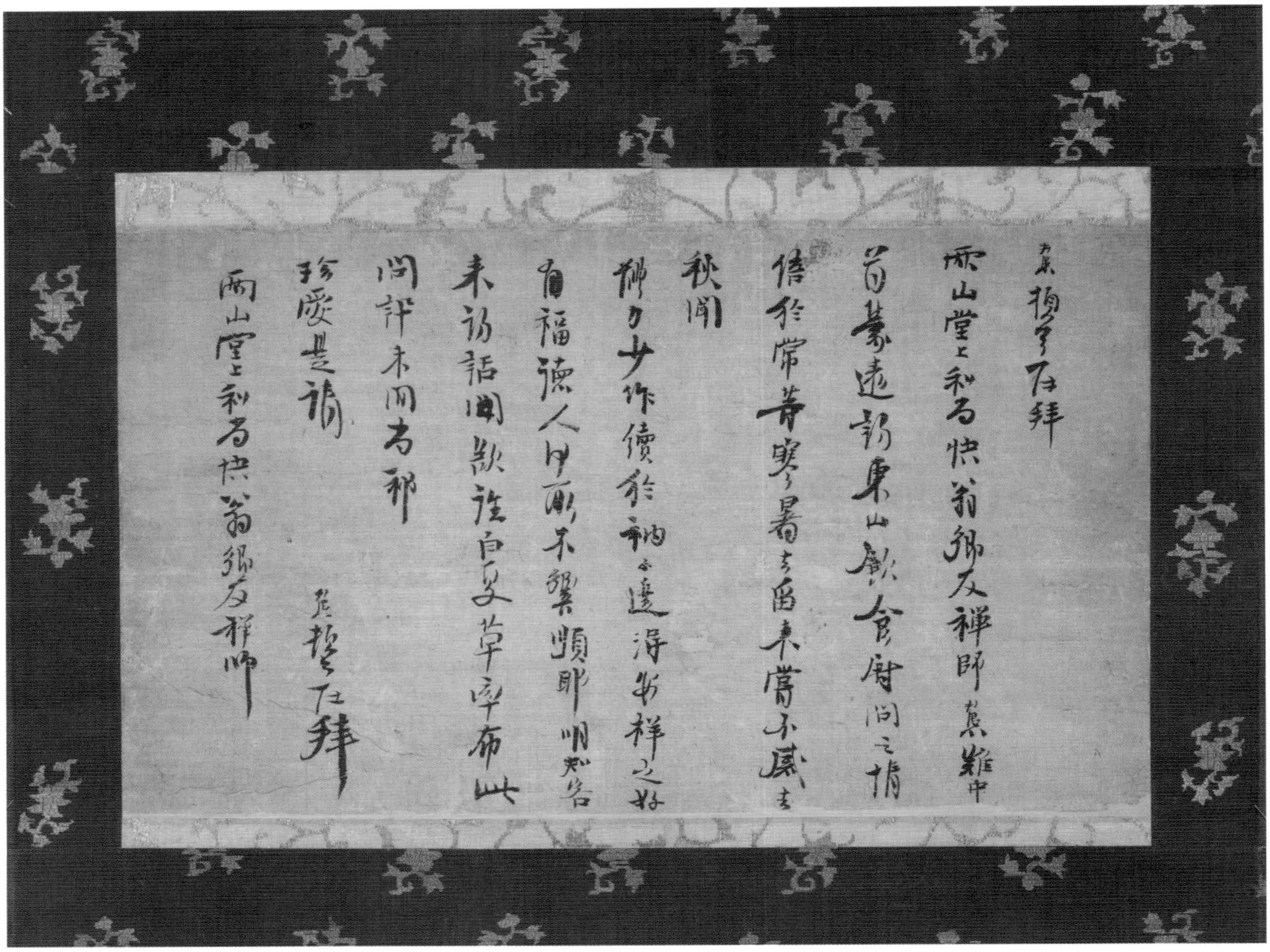

重要文化財
34 虚堂智愚尺牘　悟翁禅師あて
中国・南宋時代　一三世紀
東京国立博物館

36-1 桑十牛図透刀掛
小林如泥
江戸時代 一八〜一九世紀
古代出雲歴史博物館

36-2 桑西行富士見図透刀掛
小林如泥
江戸時代 一八〜一九世紀
松江市

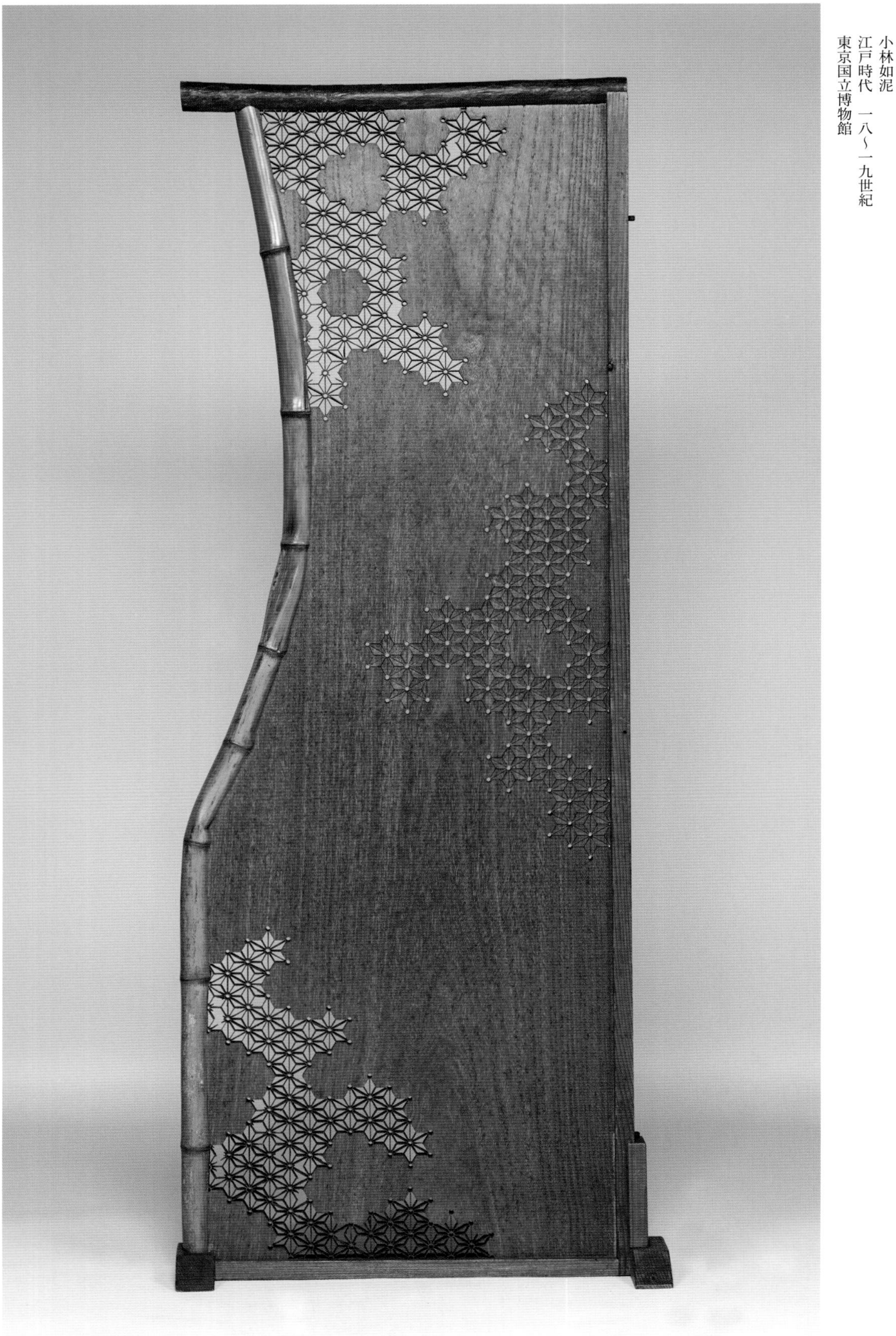

37
袖障子
小林如泥
江戸時代　一八～一九世紀
東京国立博物館

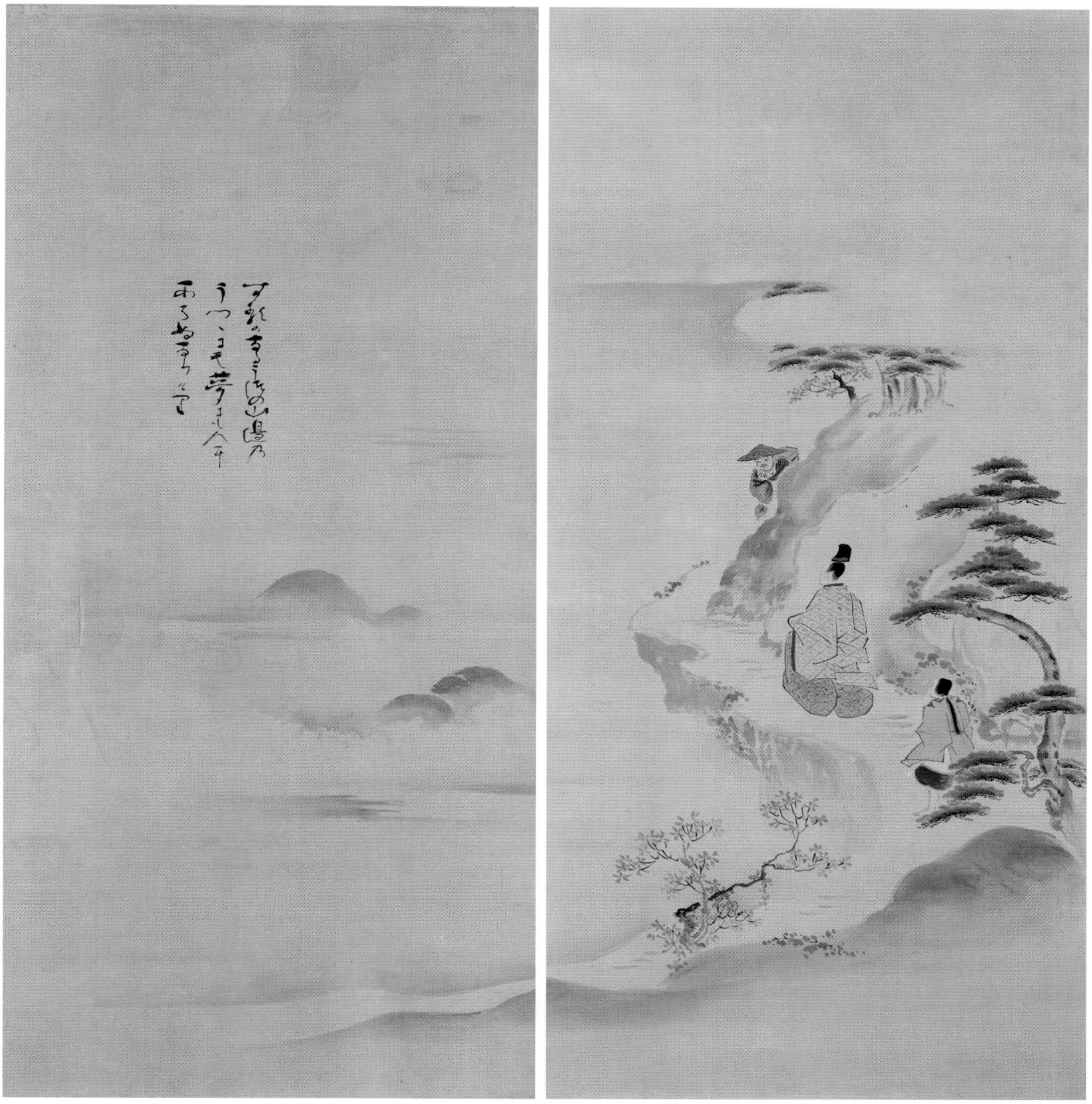

38
蔦細道図
土井宗鋪（刈谷藩主土井利徳）松平不昧賛
江戸時代　一九世紀
東京国立博物館

39
出雲国大社図
江戸時代　一九世紀
古代出雲歴史博物館

40
万日記　六
江戸時代　一九世紀
手錢記念館

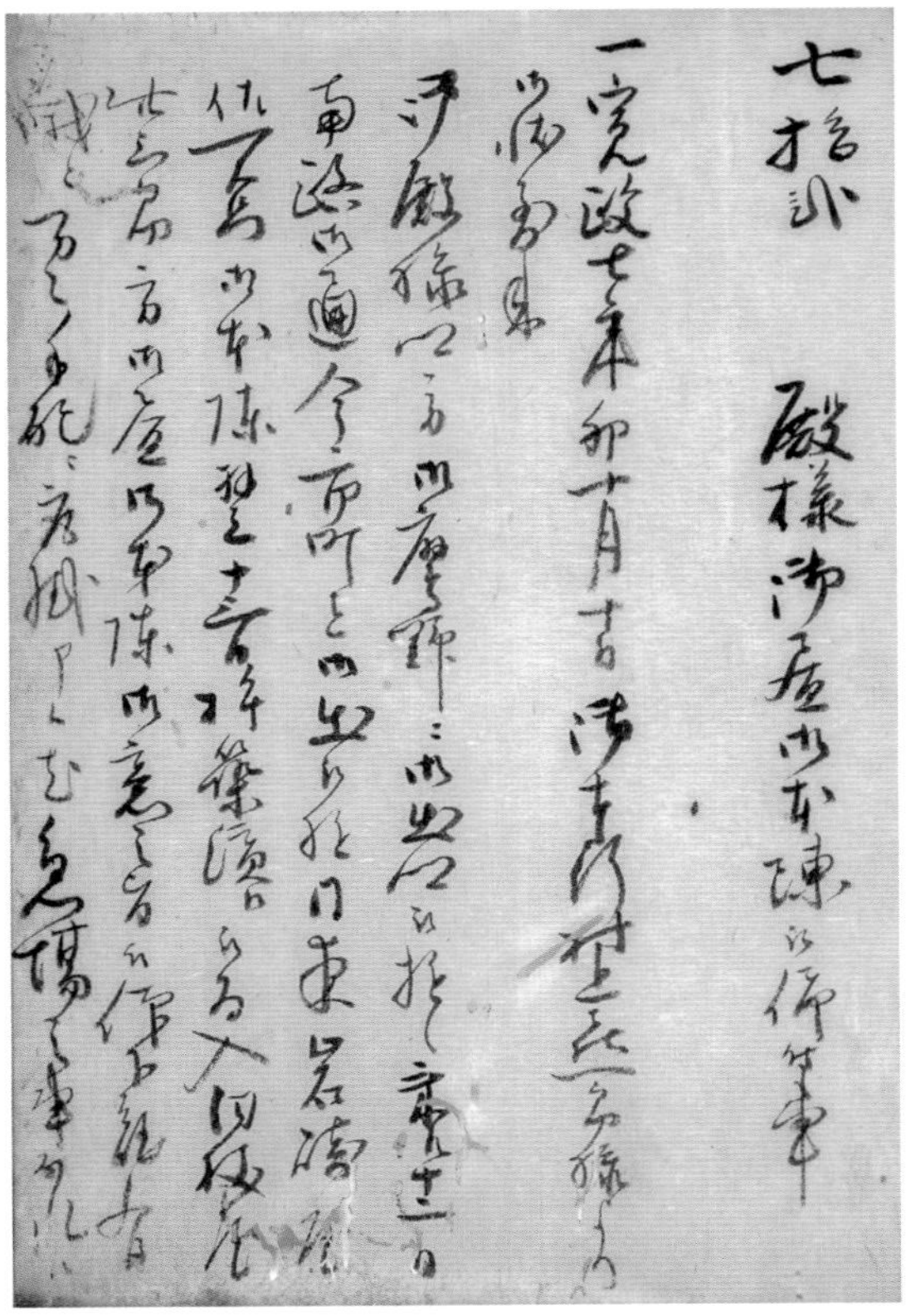

41
秋草蒔絵文箱
下絵：狩野晴川院　作：原羊遊斎
江戸時代　文化七年（一八一〇）
手錢記念館

45
楼閣山水図
伝　牧谿
江戸時代
八雲本陣記念財団

42
冠卓・唐金唐冠香炉・唐物彫漆丸香合・三ツ羽　鷹羽
江戸時代　一九世紀
八雲本陣記念財団

43
双鶴図
円山応挙
江戸時代 明和二年（一七六五）
八雲本陣記念財団

47
帝鑑図屏風
江戸時代　一七世紀
手銭記念館

44
源平合戦図屏風
江戸時代　一七世紀
八雲本陣記念財団

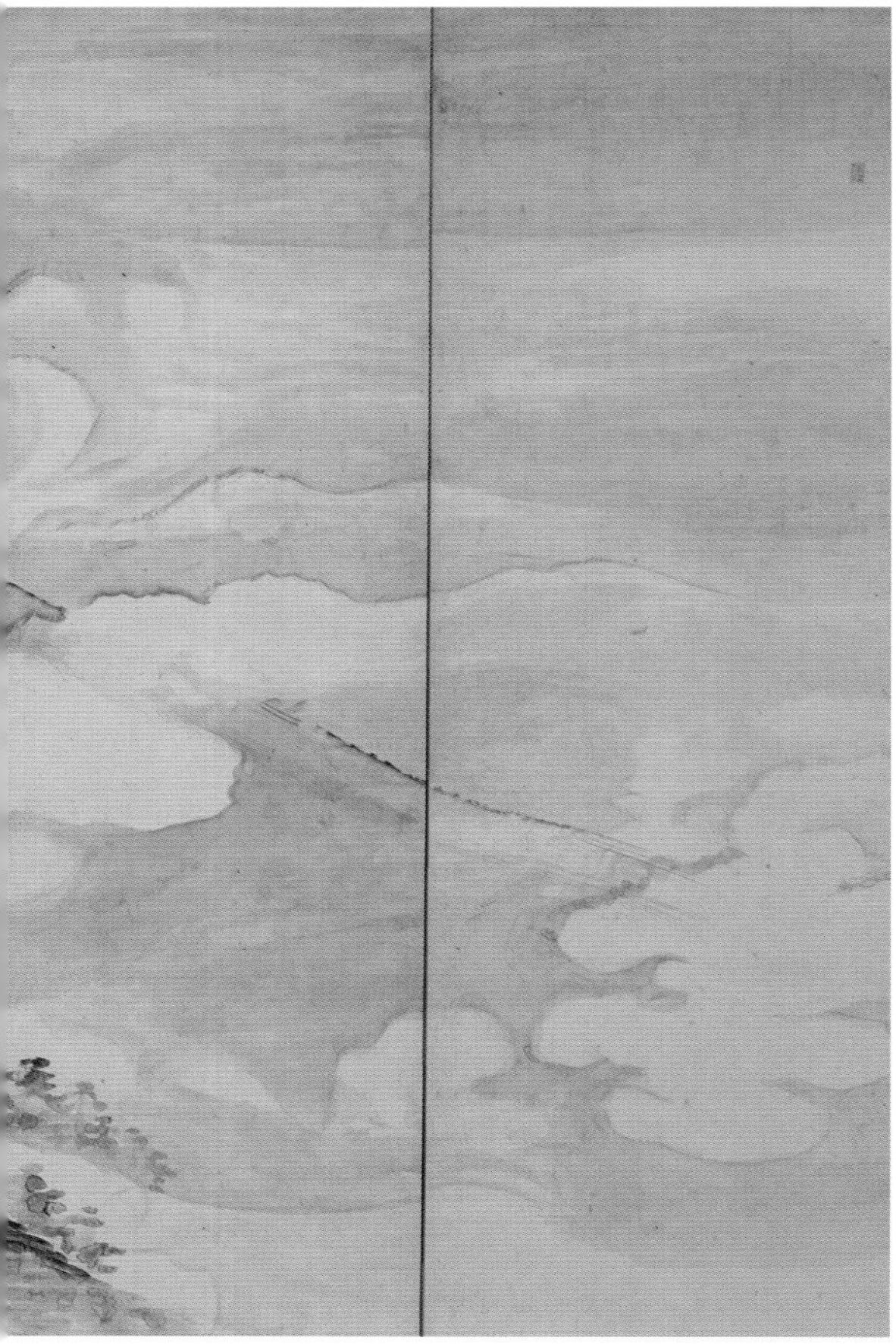

46
松蔭観潮・夏雲霊峰図屏風
池　大雅
江戸時代　一八世紀
八雲本陣記念財団

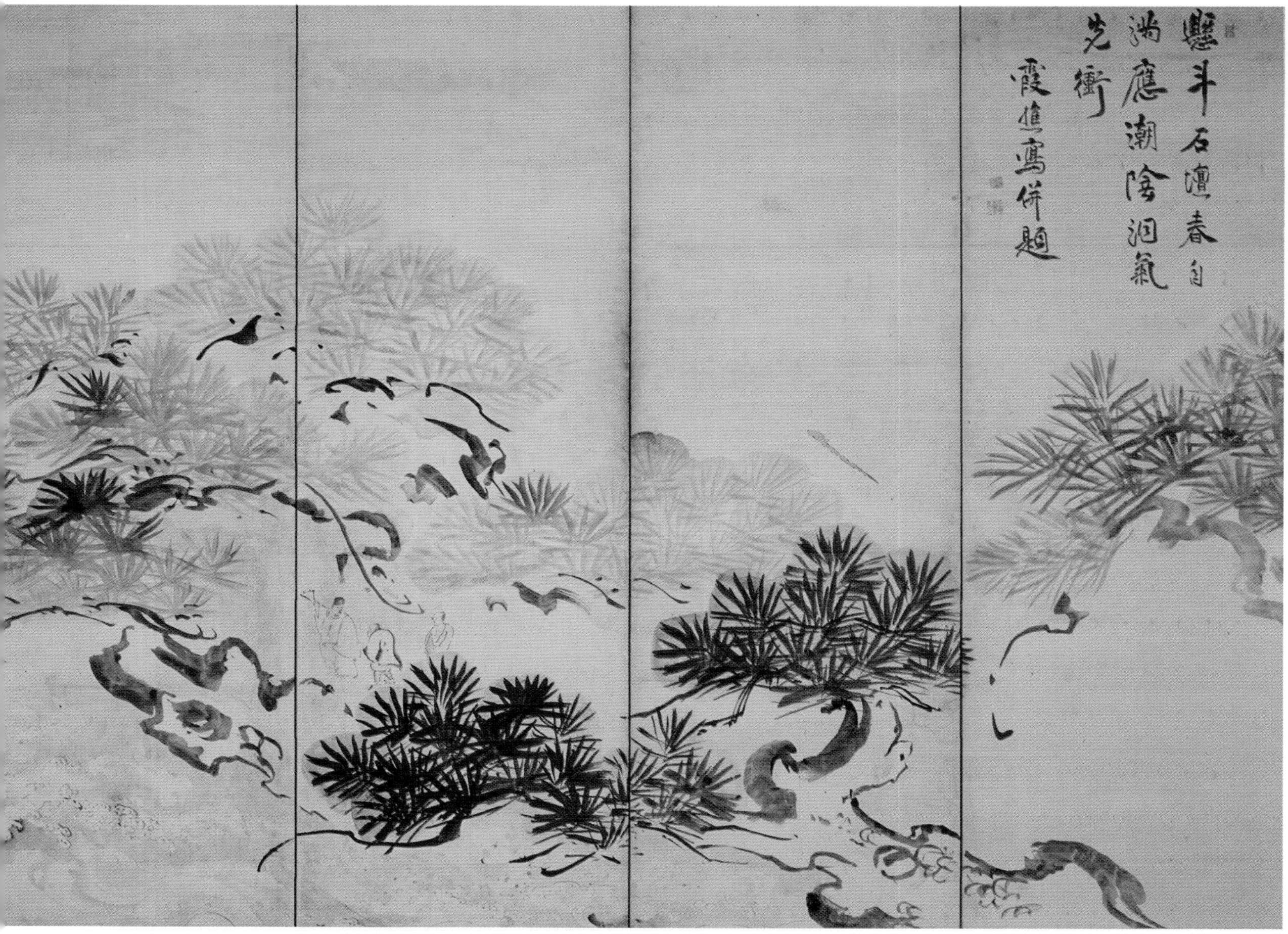

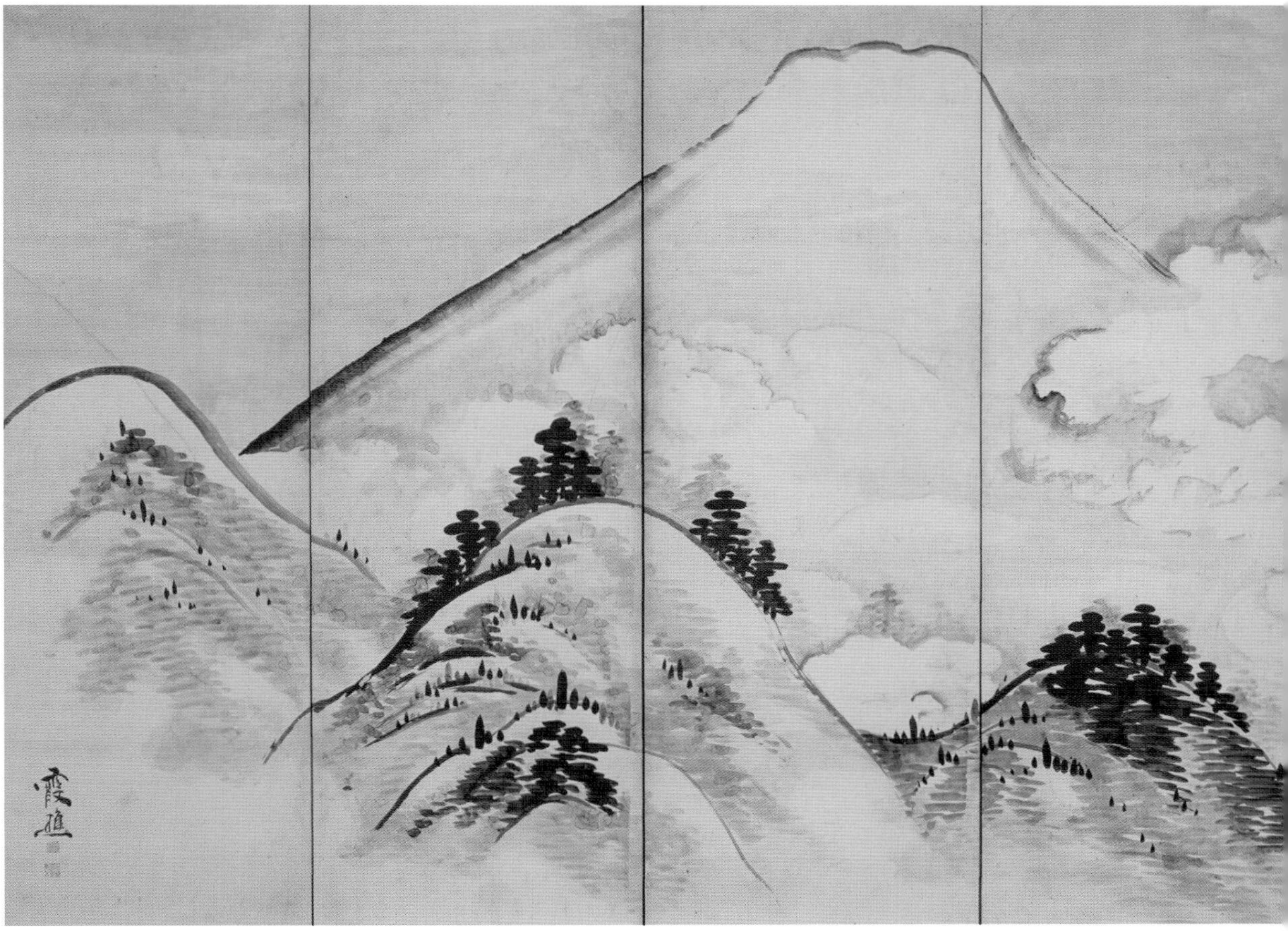

COLUMN

松平不昧の領内巡行と出雲の美の文化

七代藩主松平不昧《ふまい》（一七五一〜一八一八）は、父宗衍《むねのぶ》が重商主義に基づく藩政改革に失敗して引退後、一六歳で財政破綻した松江藩の藩主となった。藩政前半は家老朝日茂保《しげやす》による、領内の債務放棄、領外債務の無利息元利長期返済、徴税の厳格化により債務整理、基金創設を図るとともに、収益を挙げていた木実方（櫨蝋《はぜろう》）等は継続事業とし、領民に対しては木綿栽培を非課税とすることで生産を奨励した。藩政後半は親政を行い、異国船対策として唐船番を創設、出雲大社の遷宮（修理遷宮）事業も果たした。

不昧は早くから茶の湯に関心を示して幕府御数寄屋頭《おすきやがしら》の伊佐幸琢《いさこうたく》に学び、研究を深めるなかで禅に目覚め、麻布天真寺の大巓宗碩《だいてんそうせき》に師事したのをはじめ、伊豆三島宿龍澤寺の東嶺圓慈《とうれいえんじ》、領内出雲郡学頭永徳寺の葦津慧《いしんえ》隆《りゅう》、孤篷庵の寰海宗晙《かんかいそうしゅん》、大鼎宗允《だいていそういん》らに学んで研鑽、茶禅一味、利休の侘茶《わびちゃ》に回帰することを唱えた。

不昧が茶道具の蒐集を始めたのは二二歳頃からという。次第に蒐集の意識は、伝世の名器を保存し後世に伝える意識へと変わり、またよしんばそれでも失われるとも「千歳の後に、名と物の形代を残さん」と、画像とデータを記録伝承するために、諸家に伝来する名物を閲覧、詳細に記録して公刊する意図を持つに至った。かくして著したのが『古今名物類聚』である。名器の数々を分類整理して収録するのみならず、寸法を細かく記載、付属物も明記するなど、現在のアーカイブに通じる卓見した図録集に仕上げている。また道具を蒐集するのみならず、伝来、購入先、購入価格、評価額もこまめに道具帳に記録（『雲州蔵帳』）、収納する箱、包布にいたるまで心を配り、保存管理を徹底した。不昧の収集保存、データ分類、研究、成果の公開は、西欧の影響を受けずして我が国で醸成された博物学、博物館学の先駆であり、むしろこの方面においても再評価すべき点が多々ある。

もう一つ忘れてはならないのがアートプロデューサー・スポンサーとしての側面である。すなわち一七世紀に萩から倉崎権兵衛が招聘されてはじまった楽山窯に長岡住右衛門《すみえもん》を、日常雑器の窯であった布志名《ふじな》に土屋雲善をそれぞれ登用した。指物《さしもの》では大工職人であった小林如泥の才能を見出し、漆工芸では江戸の蒔絵師・原羊遊斎《ようゆうさい》を重用しただけでなく、藩の蒔絵師小島清兵衛（漆壺斎《しっこさい》）を羊遊斎のもとで学ばせている。いずれの分野も不昧の高い審美眼に基づく発注を受けて技量を高め、その後に継承されている。

近世の藩主は参勤交代で国許と江戸を往復しただけでなく、国許に在る時は領内を巡ることがしばしばあった。これは領内の巡察というよりは、各地の名所を訪れたり、富豪に休息・宿泊することで当主に御目見を許したりするなどが実態に則している。

松江藩主の場合も同様で、鰐淵寺、清水寺、出雲大社、日御碕神社などの寺社、立久恵峡、玉造温泉などの名勝地をしばしば訪れている。その順路にある郡村役人も兼ねた豪農豪商は、「御奉公」として無償で休憩・宿泊所を勤めた（これを「御用宿」という。ただし藩主は料理人も伴って巡ったので、膳椀と食材は宿が提供、料理は宿の台所で料理人が調理した）。

藩主を迎えるにあたっては、宿側はそれに相応しい座敷構えと室礼を整える必要があった。これにより領内の豪農豪商らは、屏風、軸物、香炉など、数々の工芸品を揃えるようになったが、特に高い審美眼を持つ不昧の巡行は少なからざる影響を与えた。その影響のもとに蓄積され、育まれたのが、今にいたる茶の湯をはじめとする出雲の美的文化である。

（岡　宏三）

悠久の昔から今に続く出雲国造《こくそう》。古代には、国造や天皇の代替わりに際して行列を伴って都へのぼり、大国主神《おおくにぬしのかみ》に恙《つつが》なく奉仕していることを上奏し、天皇の安寧《あんねい》と弥栄《いやさか》を祈りました。また意宇《おう》郡大庭（松江市）から出雲大社の鎮座する出雲郡杵築《きづき》（出雲市）に本拠地を移して以降も、毎年の新嘗会《しんじょうえ》（新《にい》嘗祭《なめさい》）や国造代替わりの火継《ひつぎ》神事に際しては大庭の神魂神社に赴《おもむ》き、新たな火を授かって魂の再生・継承を行いました。

参考　北島国造家長屋門

参考　板輿　津山松平藩主所用
江戸時代　一九世紀
津山市

◆出雲国造の行列

「行列」をキーワードとして出雲国造および出雲大社をとらえ直すと、興味深い歴史的事実や神事をあらためて見いだすことができる。

一つは古代、出雲国造の就任にあたって行われた天皇への神賀詞《かんよごと》の奏上で、国造は多数の従者を率いて都に上っている。従来は上洛にあたってのみそぎ、出雲産の玉の献上、神賀詞の意義には視点が向けられていたが、二〇〇人を優に超える行列の人々がどこに宿泊したのか、食糧は持参したのか、沿路の駅や役所から支給を受けたのか、そもそも山陰道を経て都に行ったのか、出雲街道で南下し、山陽道に出たのかも明らかにされていない。

二つ目としては後述する新嘗会《しんじょうえ》（新嘗祭）や火継《ひつぎ》神事で、出雲大社から四〇キロ以上離れた意宇郡大庭村（松江市大庭町）の神魂《かもす》社（伊弉冉《いざなみ》社、大庭大宮。現神魂神社）へ輿に乗り多人数の行列を率いて赴き執り行っていた。古代、出雲国造は淤宇《おう》氏といい、本貫の地は大庭にあり、杵築大社（出雲大社）とともに意宇郡の熊野大社に奉祀していたともいわれ、平安初期まで意宇郡司を兼帯していた。神魂社は平安の頃大庭の出雲国造の邸内に設けられた社と推定されている。

三つ目は大社における祭祀に伴うもので、六月一日午前、千家国造は従者を率いて徒歩で大社から東方約一〇〇メートル、北島国造館東南隅の出雲ノ森に赴き、祝詞を上げ、盛砂を掃きならし真菰《まこも》を敷いた道を戻り、境内の御手洗井の前へ進み、大幣を持して黙祷祈念する。これを涼殿《せずみどの》神事とも真菰（まこも）の神事ともいう（かつては旧暦六月二八日の夜、北島国造も行っていた）。

更に特殊な神事では八月一四日の身逃《みにげ》神事がある。これは前日の夜に別火《べっか》（現在は禰宜）が境外摂社の湊社と赤人《あかひと》社に詣で、稲佐の浜の塩掻島で四方を神拝して戻り、当日の午前一時に大国主神は別火に奉じられて前日の順路を神幸、別火は塩掻島で塩を掻き、国造館に入って神拝、本殿に帰着する。この間国造は行列を率いて一族の家に宿る習わしだった。翌日塩をはじめとする七種の神饌を供えて祭を行う。

神魂神社

平成二五年（二〇一三）、出雲大社では六〇年ぶりに遷宮が斎行されたことは記憶に新しいが、この遷宮においてもかつては旧本殿のそばに仮本殿を設け、その間に浮橋を架橋、その上を渡御して仮遷座祭が行われ、新本殿が造営（後には旧本殿が修造）されると、再び浮橋を渡して本殿遷座祭が行われた。このような浮橋を架けての遷宮が行われていたのは出雲大社と神魂社のみであり、特に出雲大社の遷宮では浮橋の上を国造以下神人にいたるまで二〇〇人以上が神輿を奉じて通行した。

このように出雲国造家に関わる神事は他に例を見ない、特殊かつ謎を秘めた祭儀が存在していたのである。

◆魂の再生と継承

出雲国造家に関わる最も重視されてきた神事は、毎年一一月中の卯の日に行われた新嘗会（新嘗祭）と、国造の代替わりに行われる火継神事である（現在新嘗会は出雲大社と神魂神社において「古伝新嘗祭《しんじょうさい》」の名で行われ、火継神事は今も継承されている）。

新嘗会は、生命力が弱まる冬、神と国造が燧臼《ひきりうす》からおこした火と近傍の茶臼山東方に所在する真名井の滝の水をもって炊いだ新穀を相嘗《あいなめ》（共食）し、神に舞を捧げて魂の再活生を遂げ、更に釜に神の降臨を仰ぎ、神から豊穣を約束される祭儀である。

一方火継神事は、国造の逝去を受けてただちに神魂神社に赴き、神前で新嘗会と同様にして炊いだ食事をし、改めて歯固めの後に舞を捧げる祭儀である。「曩祖《どうそ》宮向宿称《みやむきのすくね》人体始まるより資孝《すけのり》にいたるまで卅三代、皆な亡父喪礼の儀を止《とど》め、神魂社に打ち越し（隔たること十余里）、神火神水を相続せしむるの時、国衙案主《あんじゅ》・税所《さいしょ》・神子《みこ》・神人《じにん》等来集せしめ、舞楽を奏し、次第の神役を遂ぐる、一人相伝せしむる神職なり」（貞治四年［一三六五］「北島資孝代時国申状案」北島家文書）。南北朝の頃までは国造家だけでなく、国衙の役人、神子（巫女）や神人らも参集する祭儀であったという。

ここにいう「亡父喪礼の儀を止め」、先代国造の葬礼をとどめるとはどうい

神魂神社周辺図

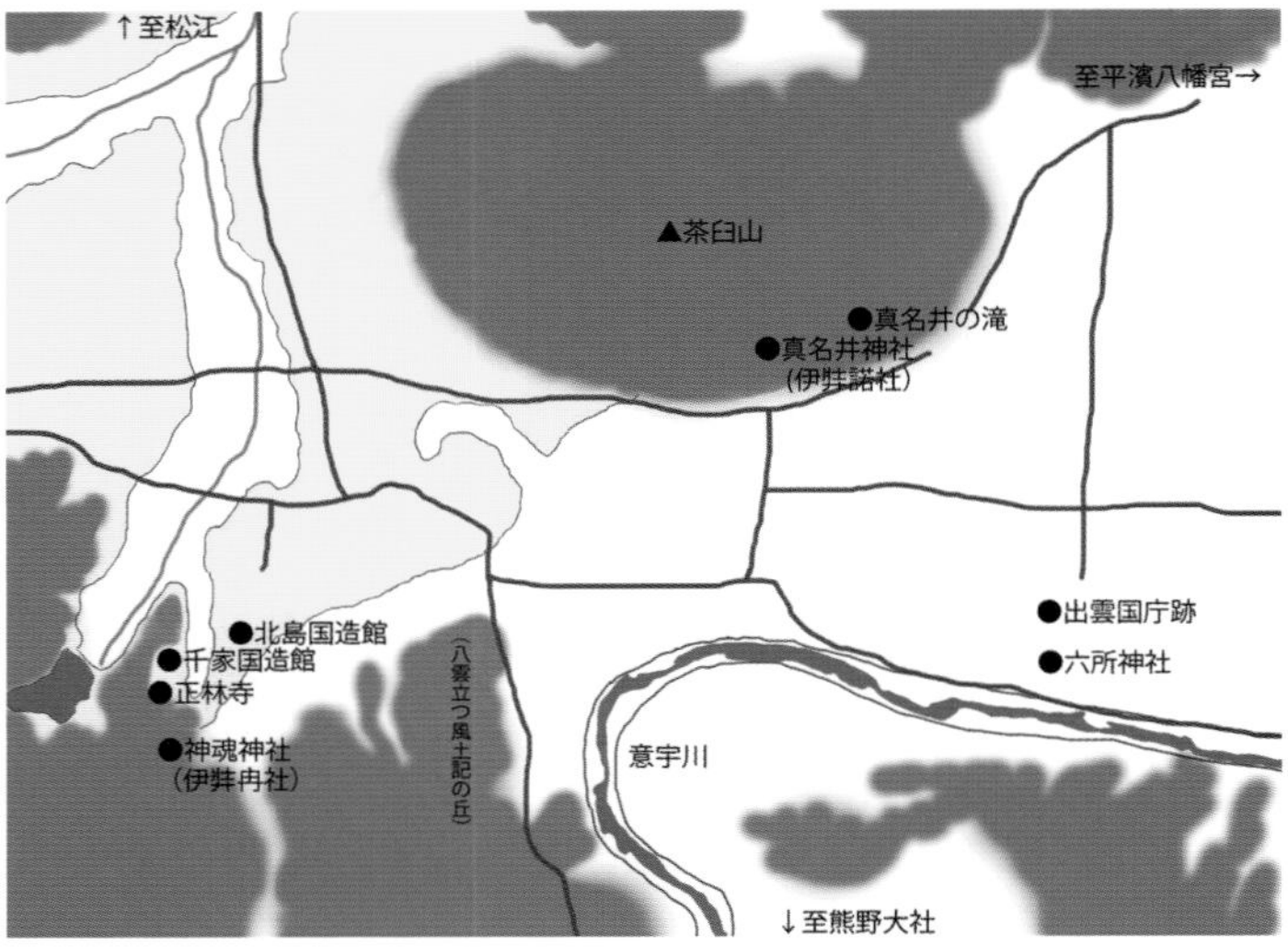

速玉社

うことか。「国造死去の時、その子国造にまかり成るものハ、一昼一夜のうちに、しすれば則神火を得、生滅のさかへこれなきに付きて、不生の生、不滅の滅とあいつたハる神風のゆえ、神慮一体とは申し候」（寛永一一年〔一六三四〕「北島広孝《ひろのり》上都訴訟覚書」北島家文書）、「国造存生の時、後国造になる人、秘伝をうけたもち、死去の刻、火切を請け取り、身にそへられしより国造のたましいをうつしかへ、火を消さざる作法、そのほか一社の社例、家々の秘密、段々ござあるをもって、不生不滅の所、言語にあらハしかたく候」（同年「千家尊能《たかよし》両使申立書抄録」北島家文書）。新嘗会が魂の再生の祭儀であるのに対し、火継神事は先代国造から新国造へ「火＝魂」を継承する神事である。継承される故に生命の断絶はない。従って先代国造の葬儀は、火継神事を終え、魂が継承された後に行われるのである。

　新嘗会、火継神事で最も重要な要素は「神火神水」にある。神水は古代の神名樋山の一つ茶臼山の東麓の真名井の滝（真名井神社〔伊弉諾《いざなぎ》社〕の元社地）の水、火継神事では新国造は大社から持参した燧臼（火切板）よりおこした火をもって御供、相嘗のための調理をし、終わって熊野大社から届けられた新たな燧臼を持ち帰る。新嘗会では熊野大社から得た三枚の燧臼を用いて同様に神事に用いた。

　大庭にはこれらの祭儀を行うために両国造家とも宿泊の館があった。鎌倉の頃には神魂神社の現参道の中央、大字土居の、速玉社跡付近にあったと推定される。この頃の国造家の墓所が西方の正林寺の裏手に現存する。南北朝時代に北島家は五四代出雲孝時《のりとき》の命を受けて六男の貞孝《さだのり》が、千家家は五五代出雲清孝《きよのり》（孝時三男）の命を受けて五男孝宗《たかむね》が、それぞれ国造職を継承してしばらくの頃については両家の館はどこに設けられたか明らかではないが、近世には北島国造館は旧国造館とほぼ同じ位置に、千家国造館は西側の字向《むかい》の地に設けられ、明治初期まで存続していた。

　新嘗会、火継神事の祭儀の具体的大略については、図録末尾の作品解説71～74に述べたのでそちらをみていただくとして、ここではこれらに伴う往復の行列に絞って紹介する。

真名井清水

松林寺墓所

88 **紙包「風宮大明神御神楽御献米」**
江戸時代 一九世紀
出雲市 北島家

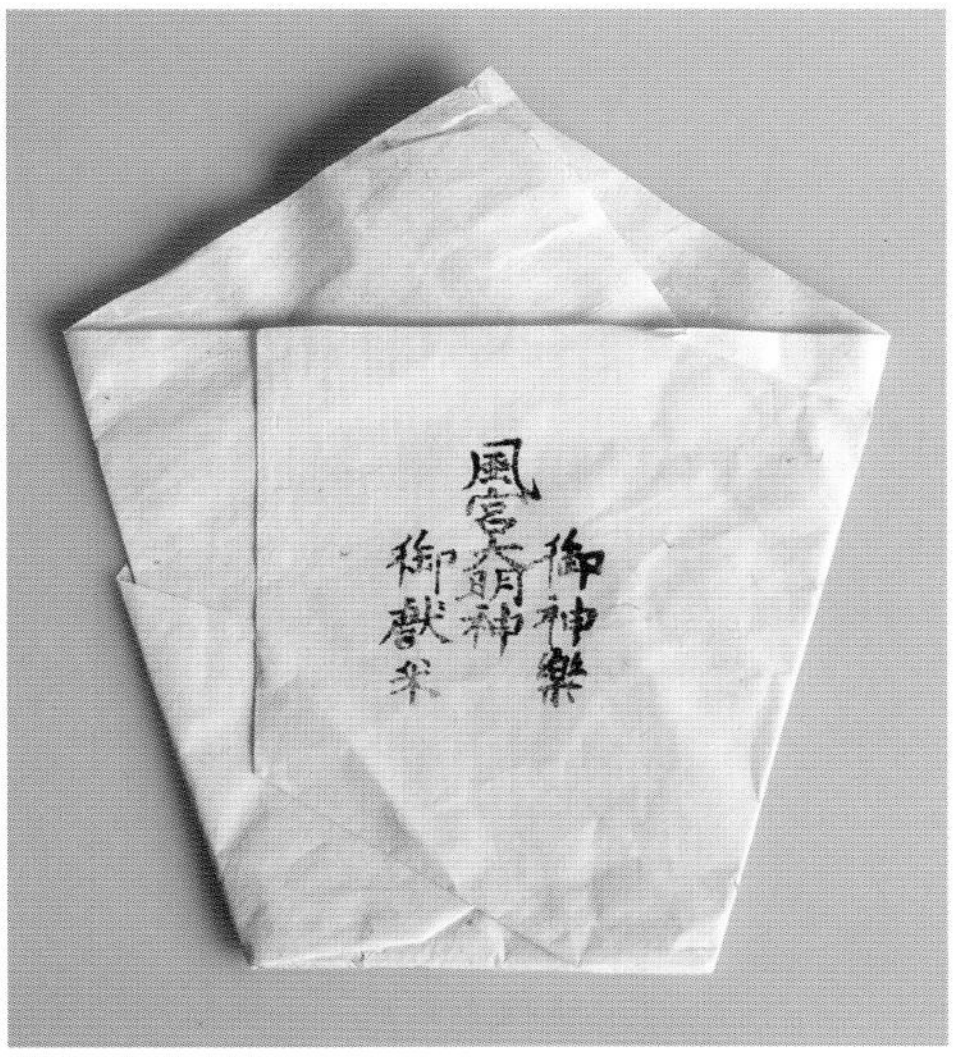

往復の行列は、国造、上官（上級神職）、医師に加えて近習、被官を伴い、これに幣を取り付けた鉾、傘、挟箱、駕籠等を担ぐ者ら数十人で構成されていた。特に国造が用いる乗り物は肩輿《かたこし》と呼ばれる三方に御簾を垂らすものであった。国造所用の輿は現存しないが、同様の構造の津山松平家の輿が津山市郷土博物館に所蔵されている（七二頁参考写真）。

両国造家とも大社の屋敷（俗に千家屋敷を「西御殿」、北島屋敷を「北御殿」という）から南に降り、高瀬川にほぼ沿った大社街道を通って今市、大津を抜け、山陰道に沿って直江、荘原、宍道、湯町（玉造）等を通り、布志名村からまっすぐ東進して大庭村に入った。新嘗会では往復ともに大社領の出雲郡富《とび》村（出雲市斐川町富村）の専用の宿所に宿泊した。宿は、千家国造家の万治三年（一六六〇）の『日記』によれば、千家家は吉祥寺に、北島家は北隣する富田《ふでん》寺に宿泊しているが、後にはそれぞれ専用の中宿《ちゅうやど》（旅館）を設けている。また大川（斐伊川）を渡河する際は橋を用いず、駕籠は川舟に乗せ、千家・北島・富三ヶ村（出雲市斐川町）の人夫数十人で向こう岸へ渡す決まりとなっていた。大庭に向かう途中、意宇郡林村の風《ふう》の宮（松江市玉湯町、布宇神社）で北島国造は神楽を奏して通り、千家国造は参拝休憩する習わしであった。

祭儀が終わると、火継神事の場合は即日大社に帰着したが、新嘗会後は再び富村の中宿で一泊した。旧北島国造附社家赤山登の『杵築旧懐談』によれば、沿路の宿場では「村役人、頭分《かしらぶん》・神職等出迎へ御目見えあり。御駕籠脇の従者（御簾といふ）より氏名を読み上ぐれば、御駕籠の簾《すだれ》を揚げて御会釈あり。而して其処々々にて種々献上物ありたり。又大原郡辺の獅子講の連中は宍道辺へ獅子を持出し、御行列の先へ立て進み行けり。猶又御休憩所にては其近辺の信者より御供中へ餅、酒、蜜柑など接待をなせり。依って社中の家来などにして、酒量を過して足腰のたたざる者も自然ありたり」という光景であったという。殿様の行列とはまた変わった、純朴でほのぼのとした人々との結びつきがそこにはあったのである。（岡）

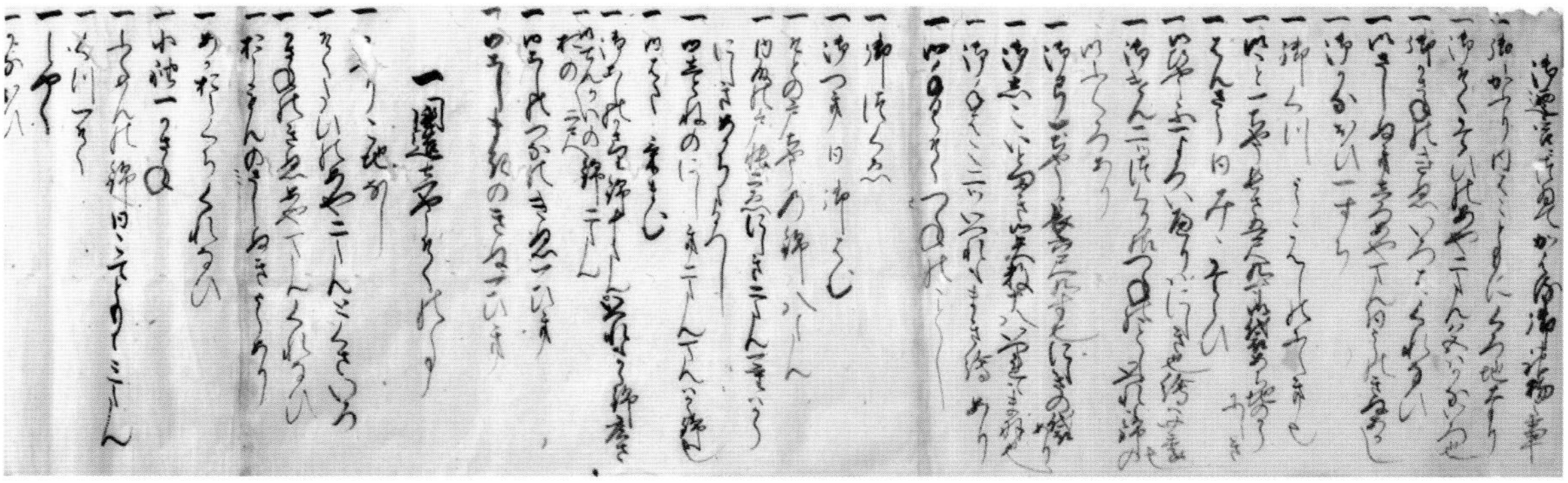

48
杵築大社遷宮入目注文案
室町時代　享禄四年（一五三一）
出雲市　北島家

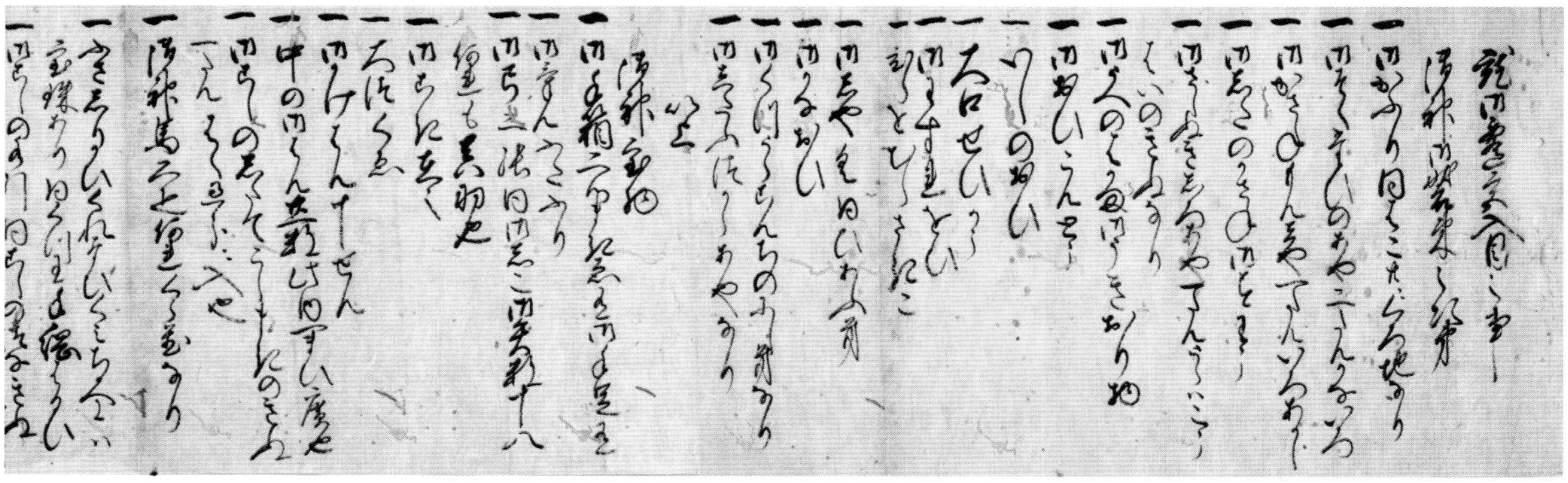

49
杵築大社遷宮入目注文
室町時代　天文一八年（一五四九）
出雲市　北島家

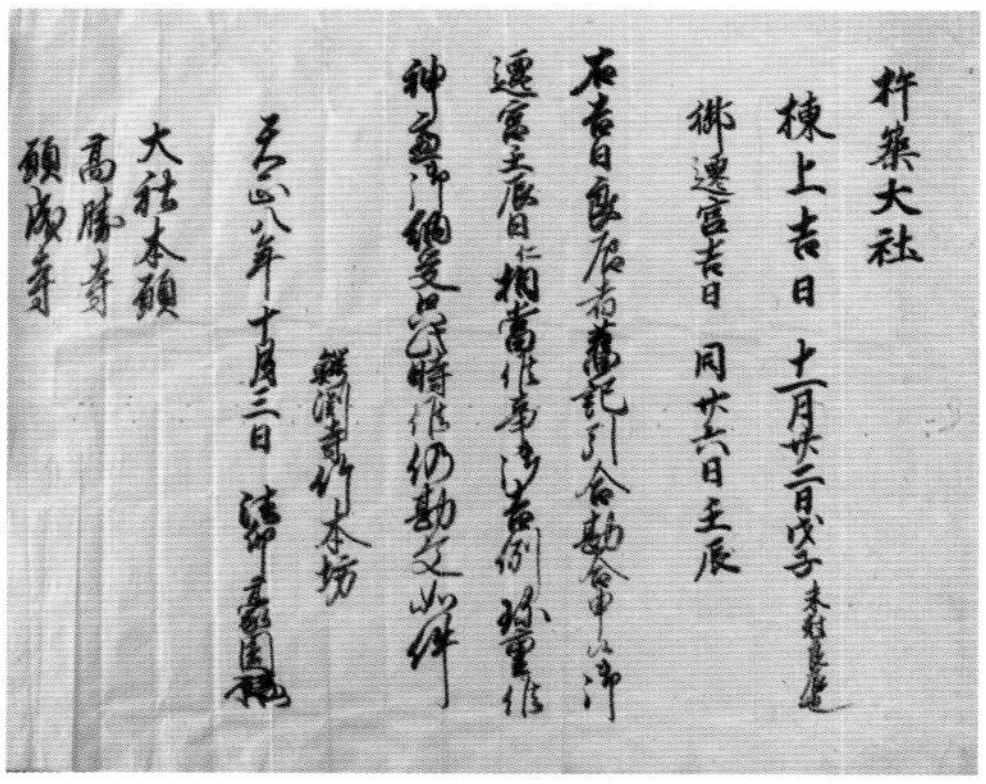

50
鰐淵寺豪円勘文
安土桃山時代　天正八年（一五八〇）
出雲市　北島家

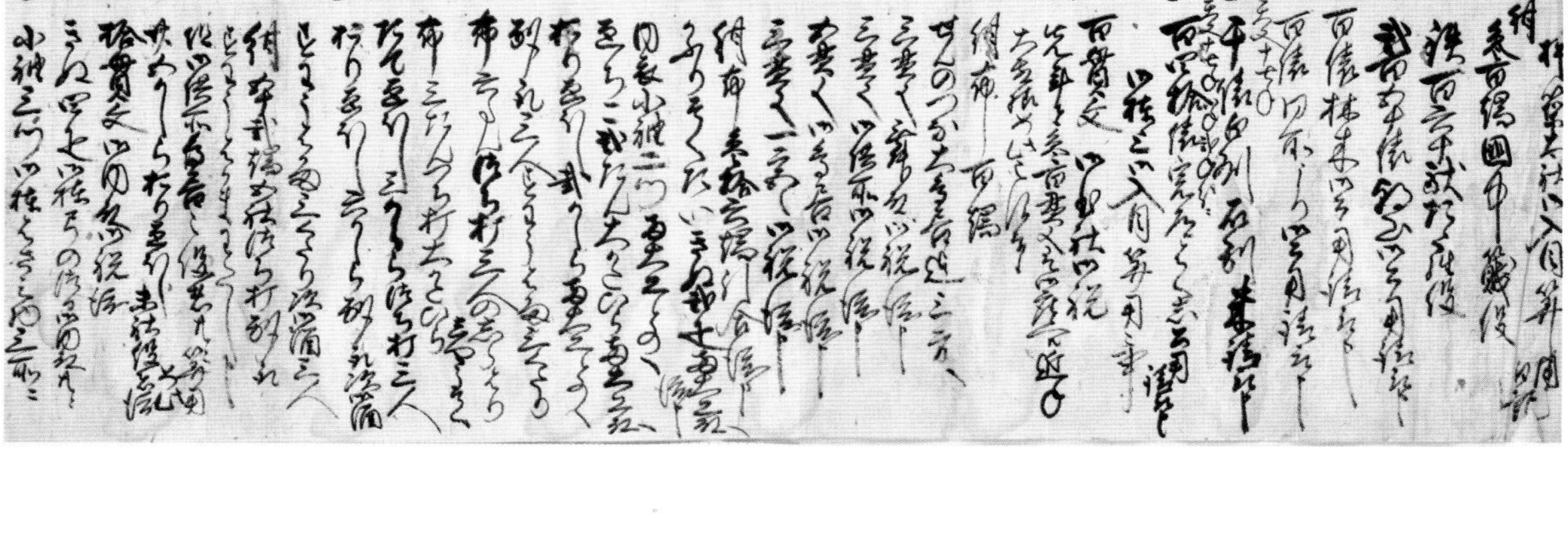

51
杵築大社入目算用日記案
室町時代　天文二四年（一五五五）
出雲市　北島家

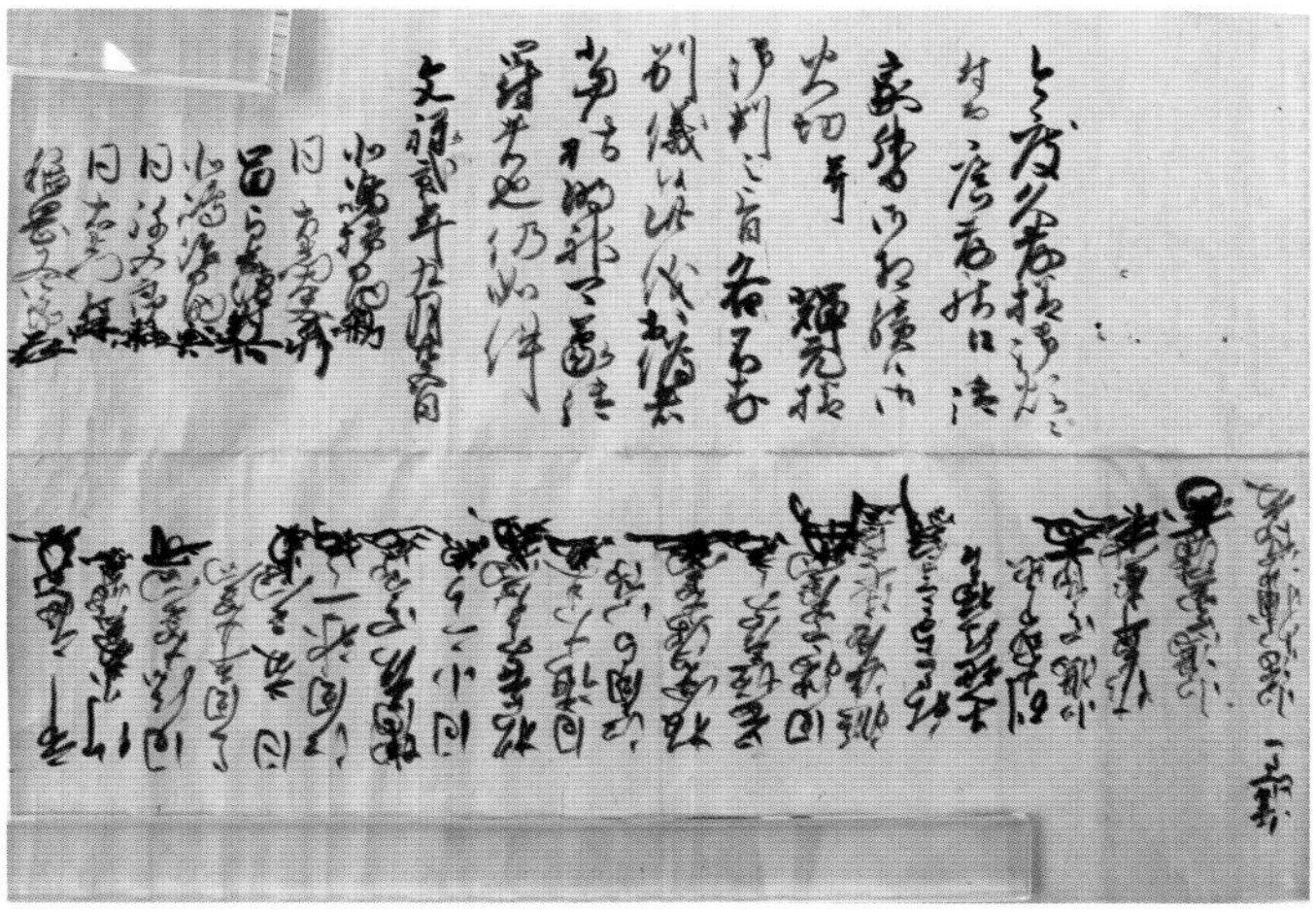

52
北島方上官等連署起請文
安土桃山時代　文禄二年（一五九三）
出雲市　北島家

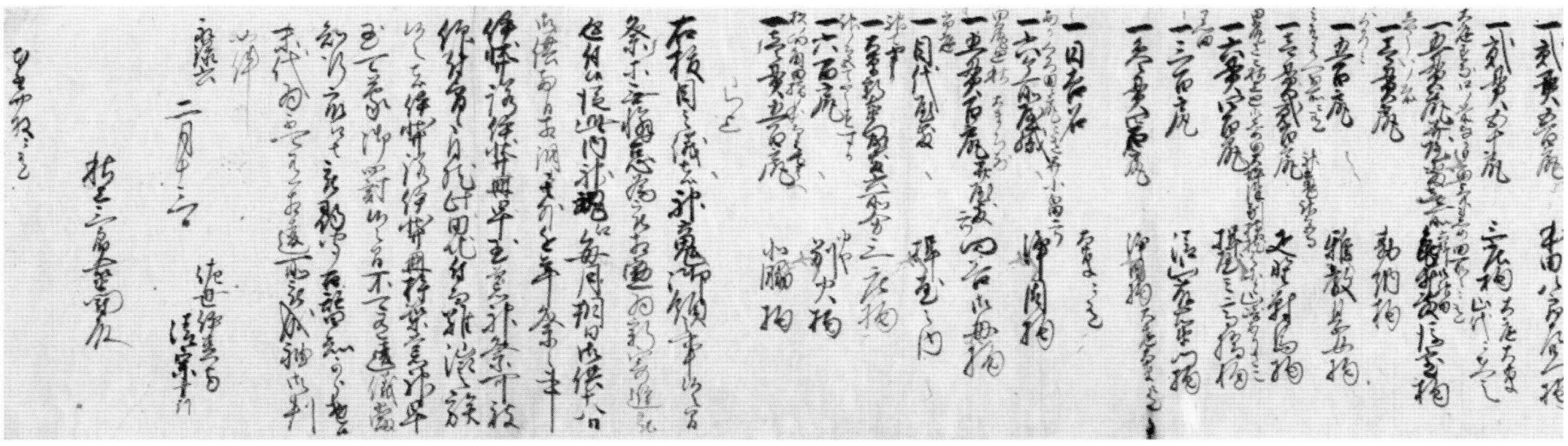

53
尼子義久袖判大庭内抜目書立案
室町時代　永禄六年（一五六三）
出雲市　北島家

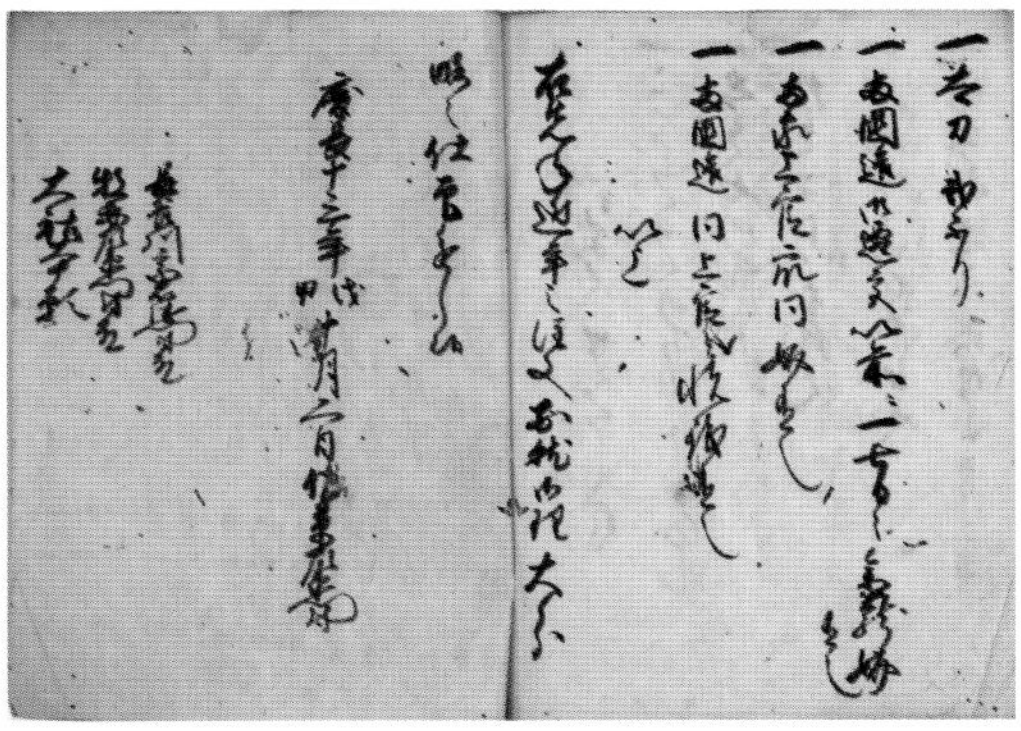

54
大社御遷宮目録
江戸時代　慶長一三年（一六〇八）
出雲市　北島家

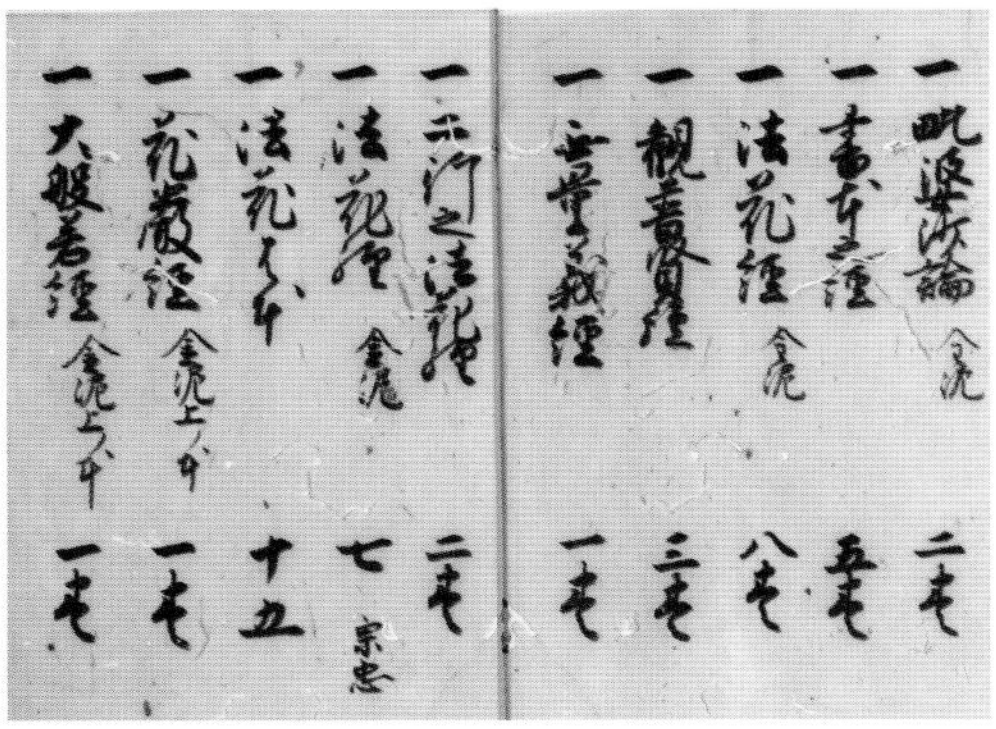

55
寛文　御神前御宝物日記
竹下千之丞
江戸時代　寛文三年（一六六三）
出雲市　北島家

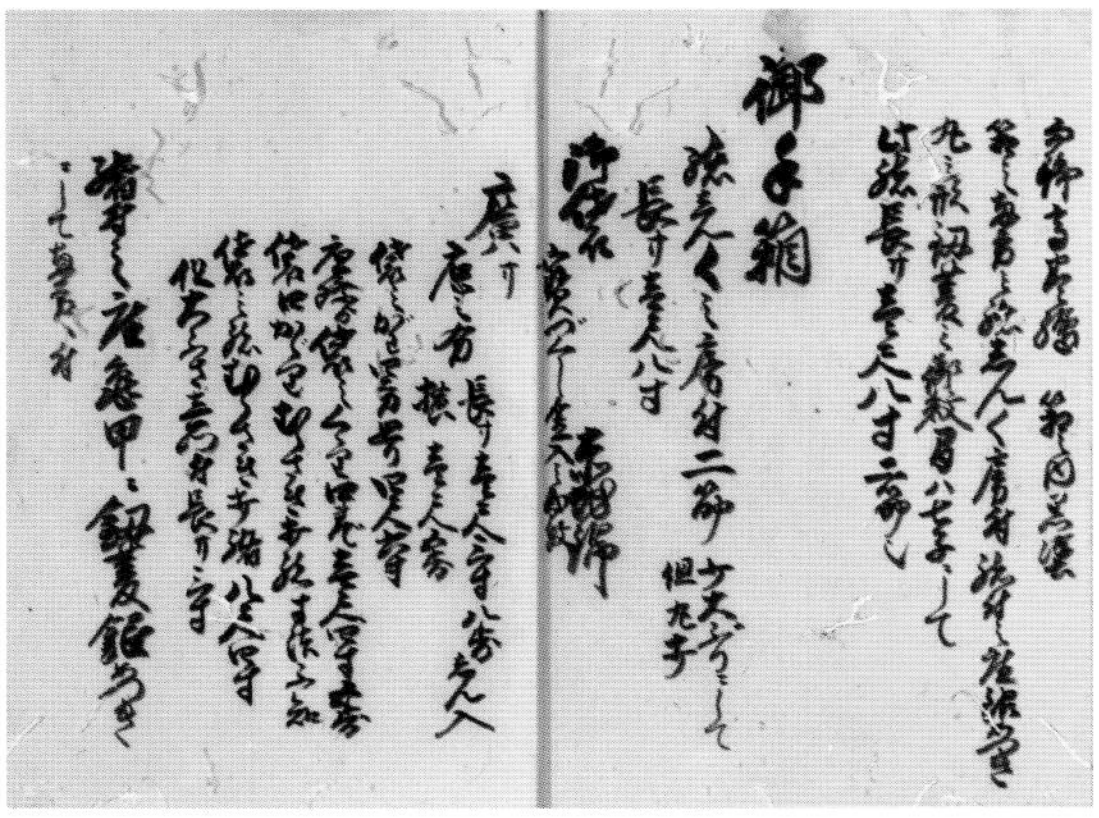

56
杵築大社御内殿覚
江戸時代　一八世紀
出雲市　北島家

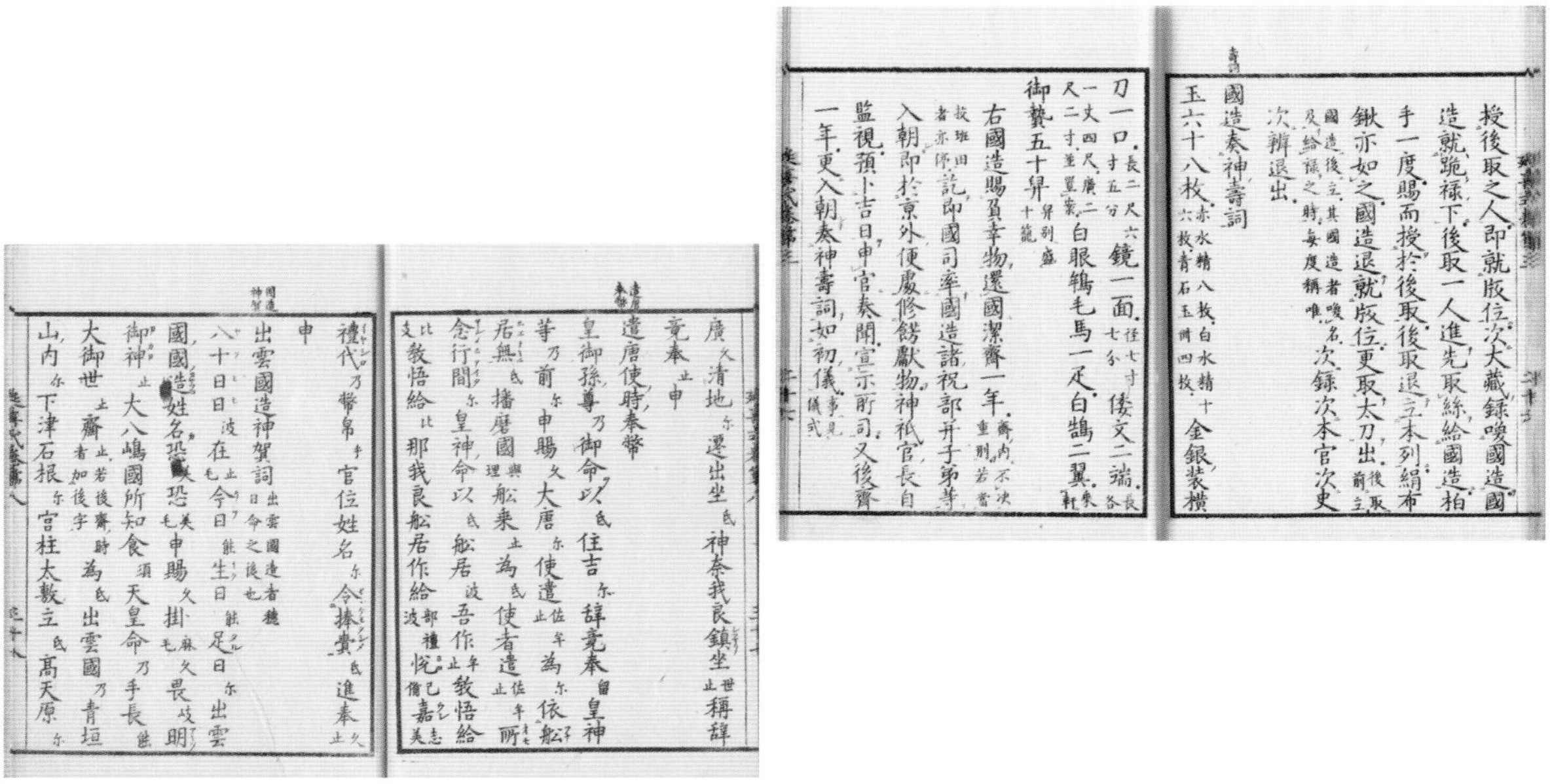

57
延喜式（出雲藩版）
江戸時代　文政一一年（一八二八）
古代出雲歴史博物館

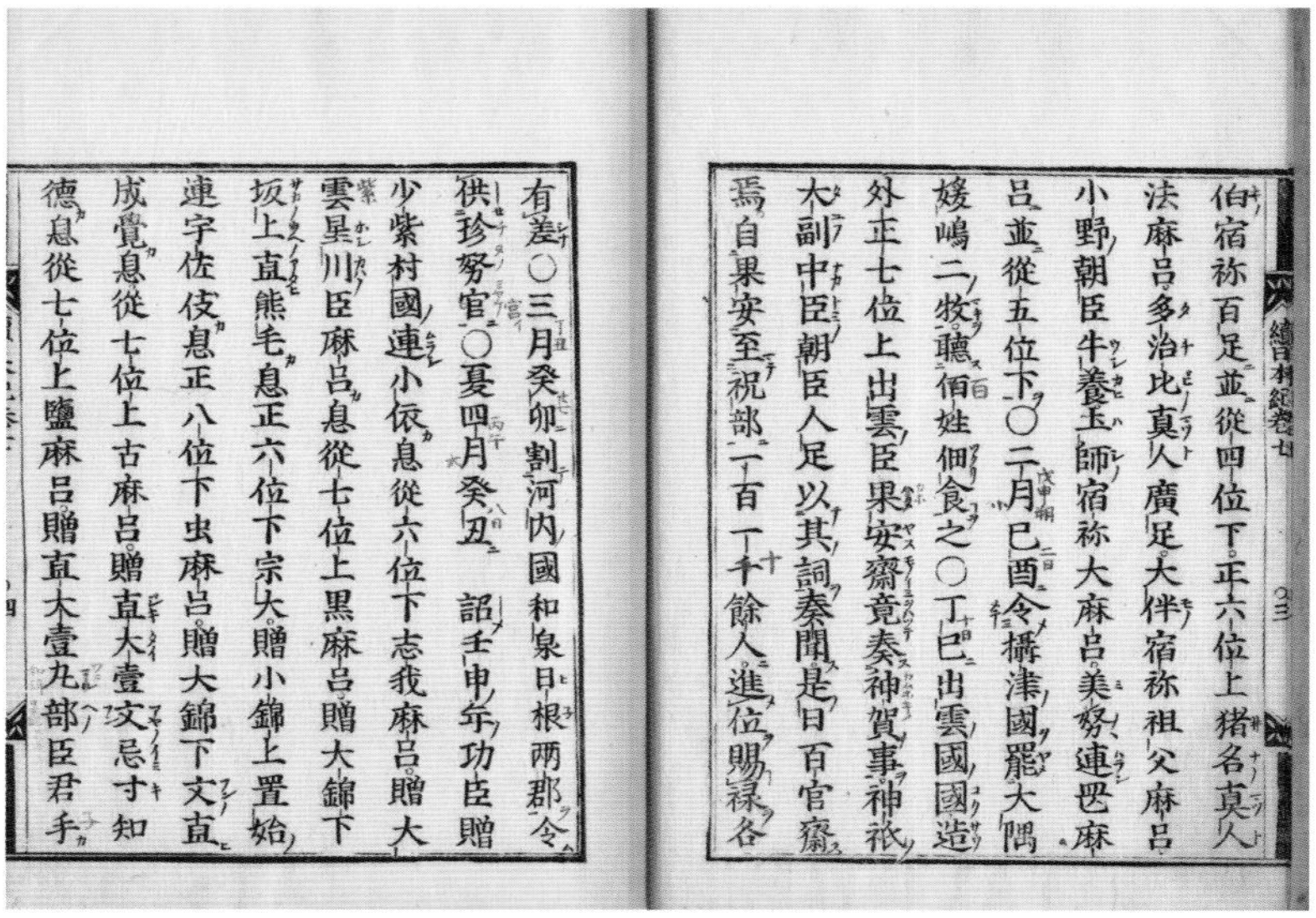

58
続日本紀
江戸時代　明暦三年（一六五七）
古代出雲歴史博物館

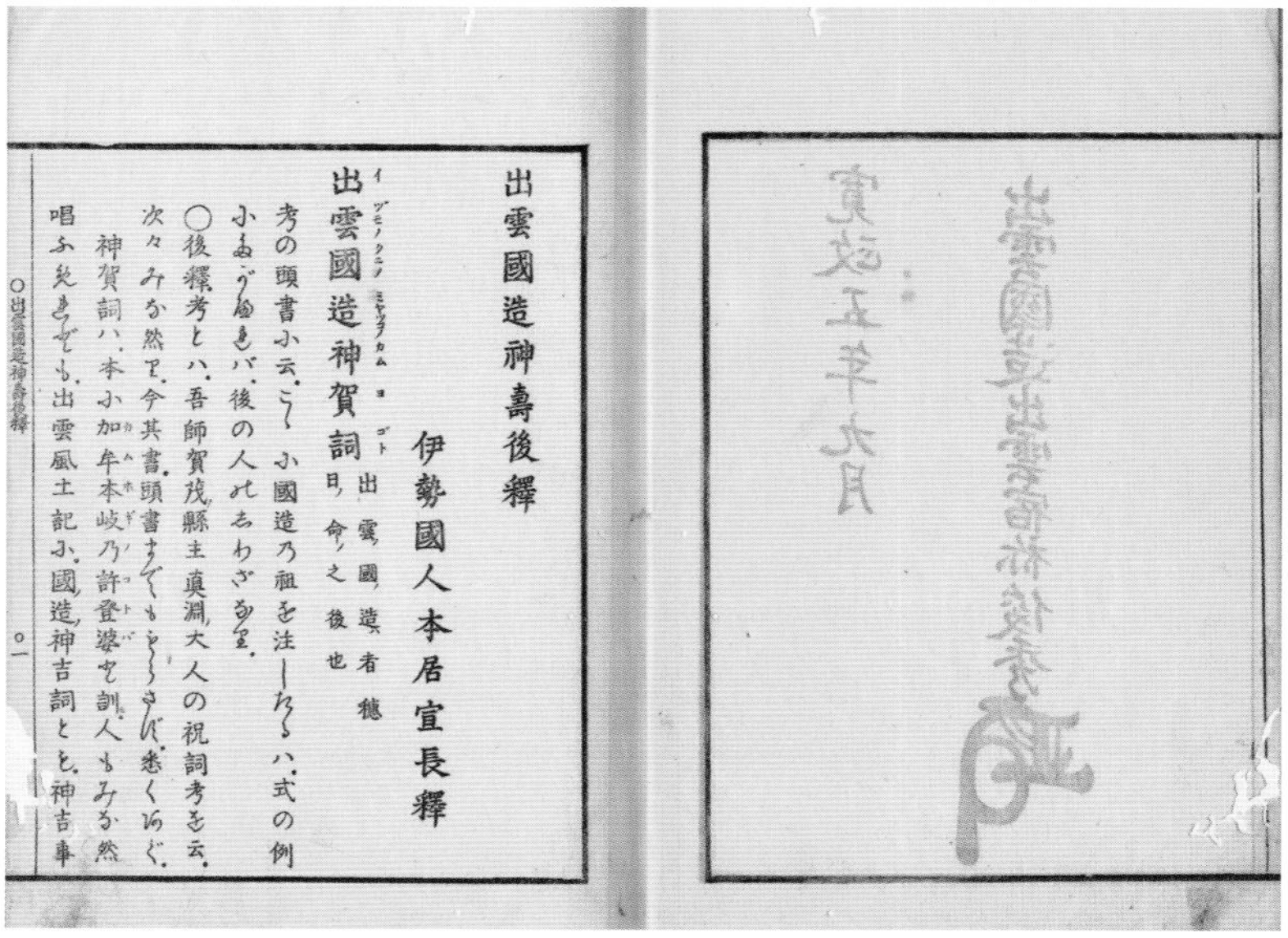

59
出雲國造神寿後釈　上巻
本居宣長
江戸時代　寛政八年（一七九六）
古代出雲歴史博物館

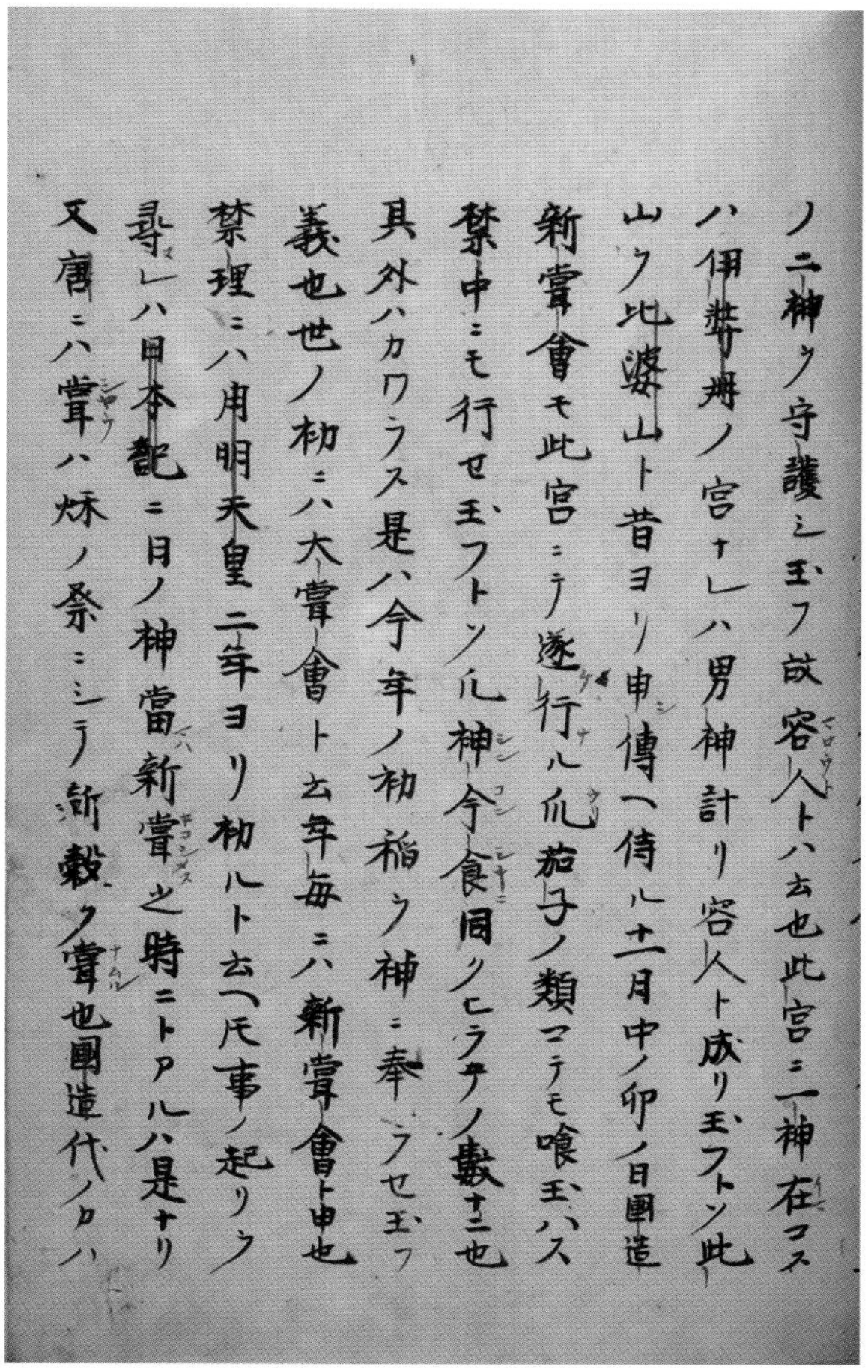

ノ二神ヲ守護シ玉フ故容人《クロウト》トハ云也此宮ニ一神在マス
ハ伊弉冉ノ宮ナレハ男神計リ容人ト成リ玉フトソ此
山ヲ比婆山ト昔ヨリ申傳ヘ侍ル十一月中ノ卯ノ日國造
新嘗會モ此宮ニテ遂行ル瓜茄子ノ類マテモ喰玉ハス
禁中ニモ行セ玉フトソ凡神今食同シヒラナノ數ナニ也
其外ハカワラス是ハ今年ノ初稲ヲ神ニ奉ラセ玉フ
義也世ノ初ニハ大嘗會ト云年毎ニハ新嘗會ト申也
禁理ニハ用明天皇二年ヨリ初ルト云ヘ氏事ノ起リヲ
尋レハ日本紀ニ日ノ神當新嘗之時ニトアルハ是ナリ
又唐ニハ嘗《シヤウ》ハ秌ノ祭ニシテ新穀ヲ嘗《ナムル》也國造代ノカハ

63
懐橘談　乾
黒沢石斎
江戸時代　一八世紀
古代出雲歴史博物館

62
神魂神社模型
昭和時代　二〇世紀
国立歴史民俗博物館

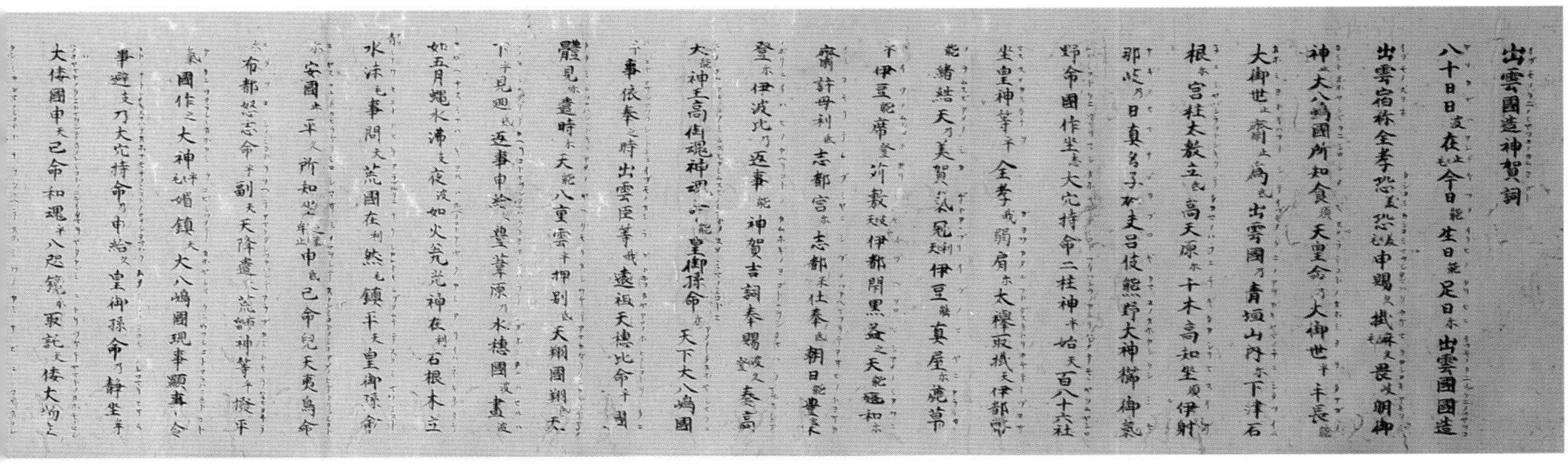

60
神賀詞
北島全孝　奏
明治二年（一八六九）
出雲市　北島家

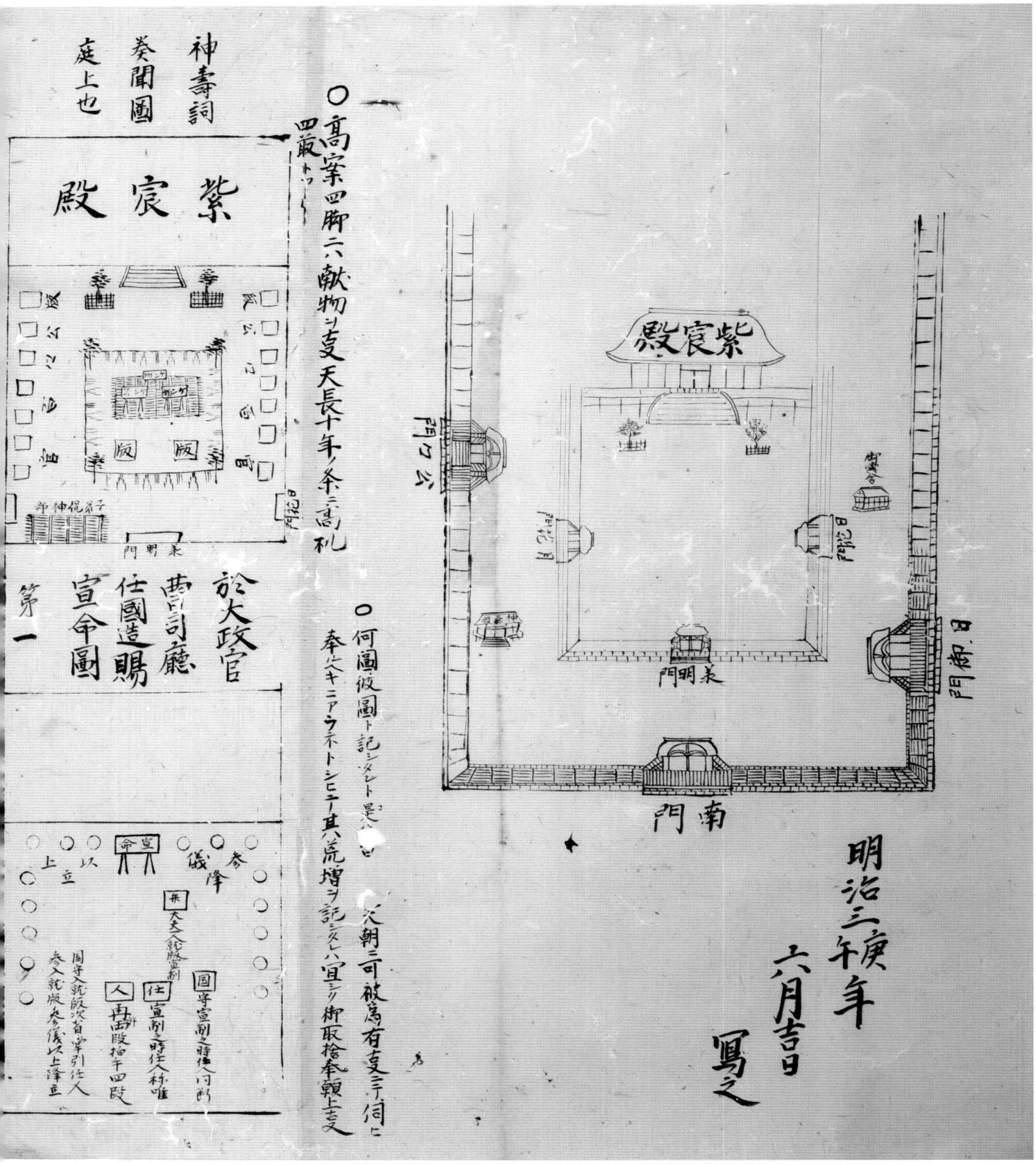

61
出雲国造神賀詞奏上次第図案
明治三年（一八七〇）
出雲市　北島家

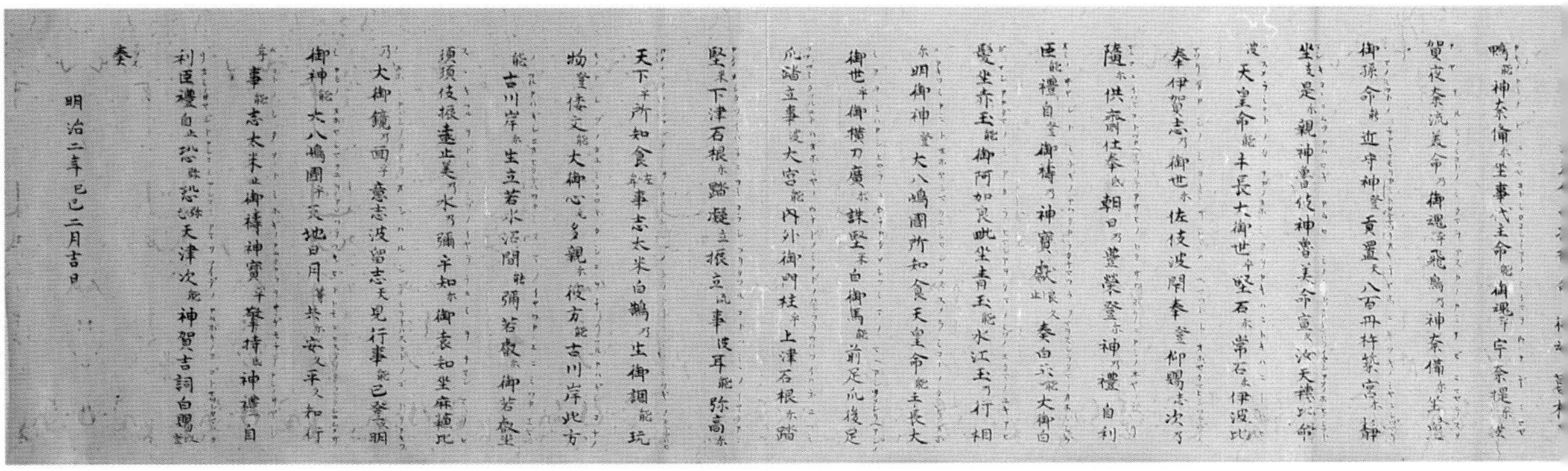
奏
明治二年己巳二月吉日

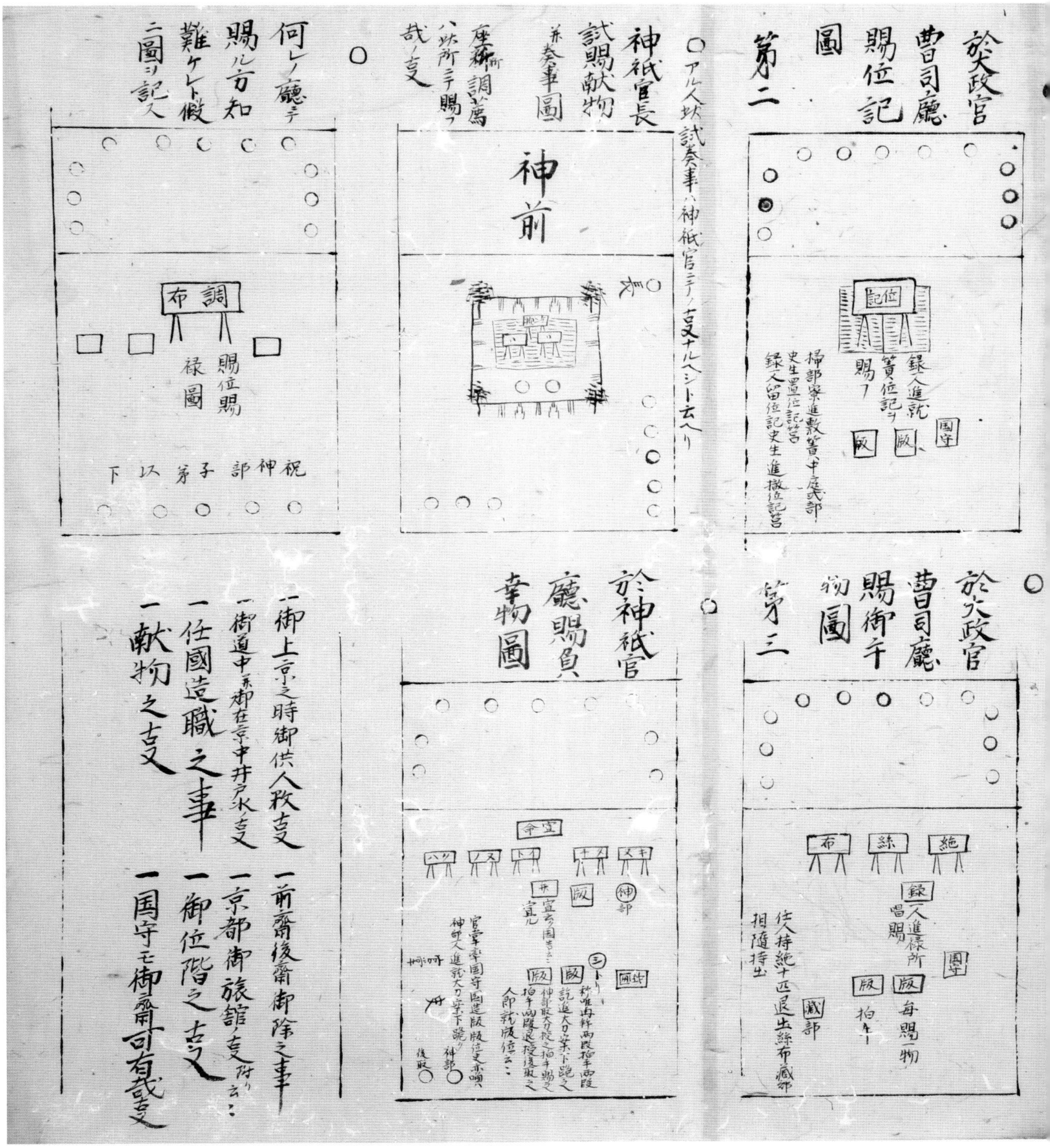
於太政官曹司廳賜位記圖
第二
○アル人曰試奏事ハ神祇官ニテノ古文ナルヘシト云ヘリ
神祇官長試賜献物并奏事圖
神前
座摩御巫調薦ハ此所ニテ賜フ哉ノ古文
○
何レノ廳ニテ賜ルカ知難ケレト假ニ圖ヲ記ス
祝部神子以下
於太政官曹司廳賜御手物圖
第三
於神祇官廳賜負幸物圖
一御上京之時御供人数古文
一御道中并御在京中井戸水古文
一任國造職之事
一献物之古文
一前斎後斎御除之事
一京都御旅館ノ古文
一御位階之古文
一国守モ御斎可有哉ノ古文

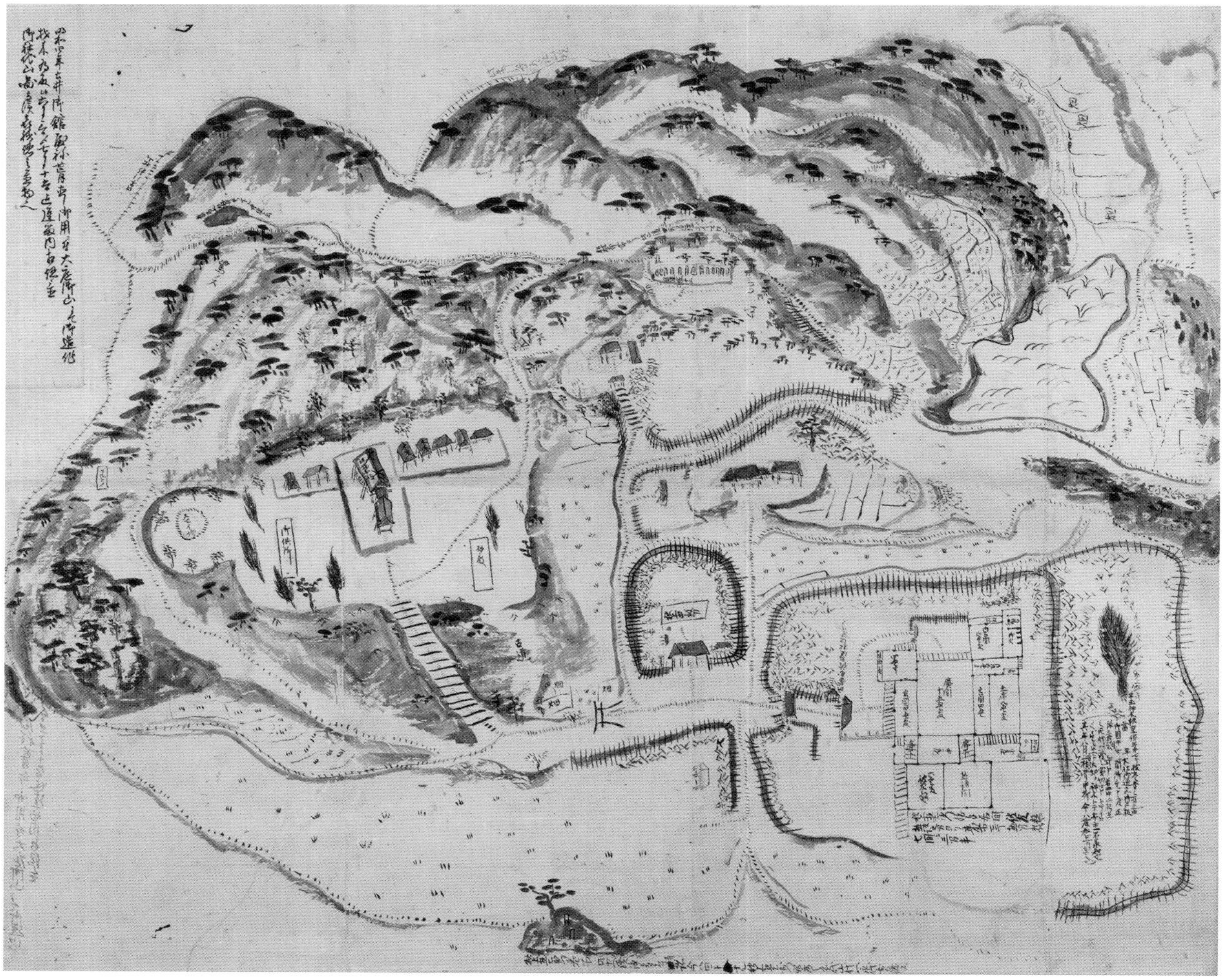

66
神魂社古図
江戸時代　明和四年（一七六七）
出雲市　北島家

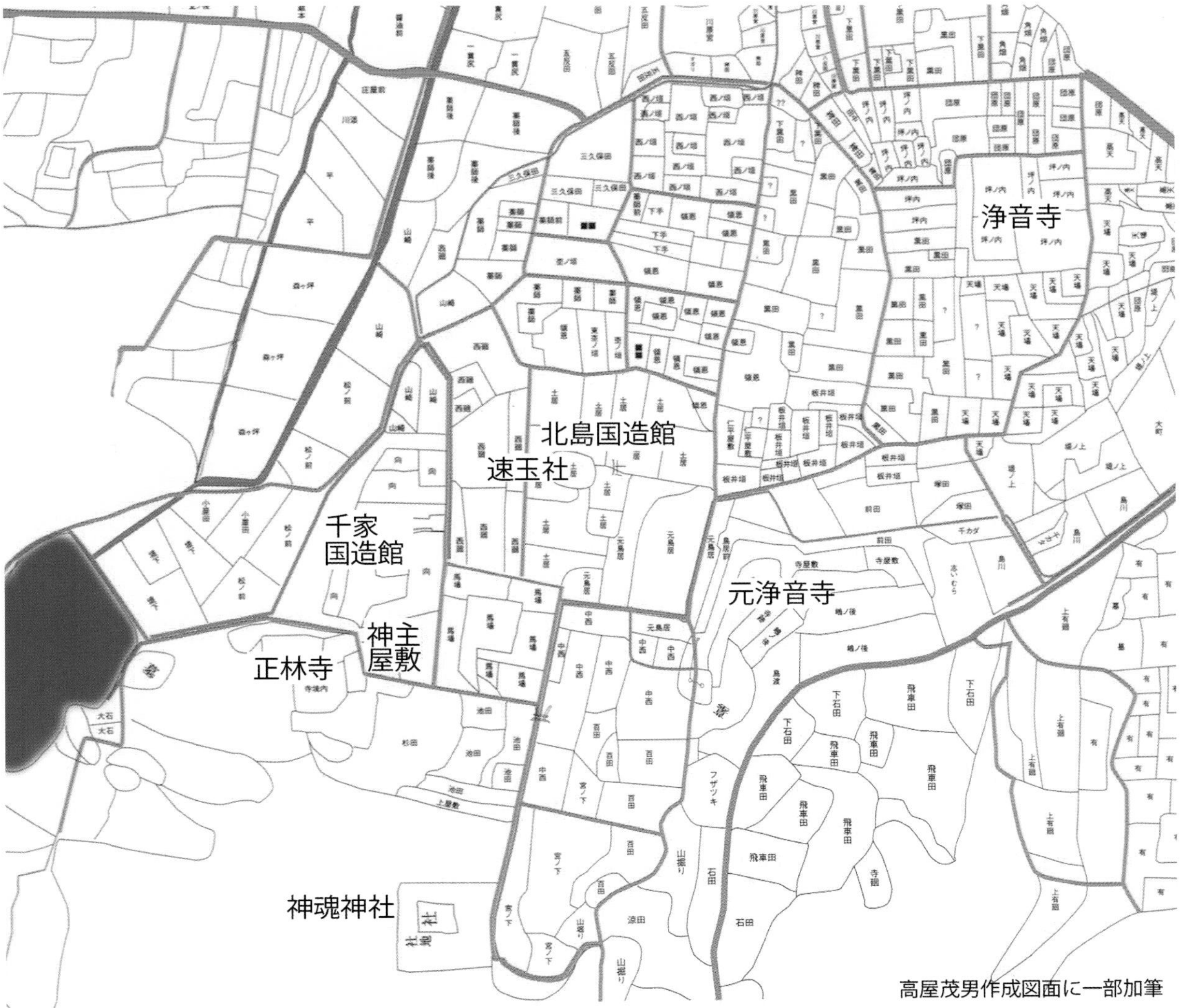

高屋茂男作成図面に一部加筆

神魂神社周辺図（明治の地籍図に基づく）

出典：米軍撮影の空中写真（国土地理院所蔵　一九四七年撮影）

64
陶磁器類
松江市大庭町黒田畦　字土居・字神主屋敷所在遺跡出土
鎌倉時代・江戸時代　1：七世紀　2・3：一三世紀　4：一二〜一三世紀　5・6：一九世紀中頃　7：一七世紀中頃　8：一八世紀前半　9：一八世紀中頃　10：一九世紀前半
島根県埋蔵文化財調査センター

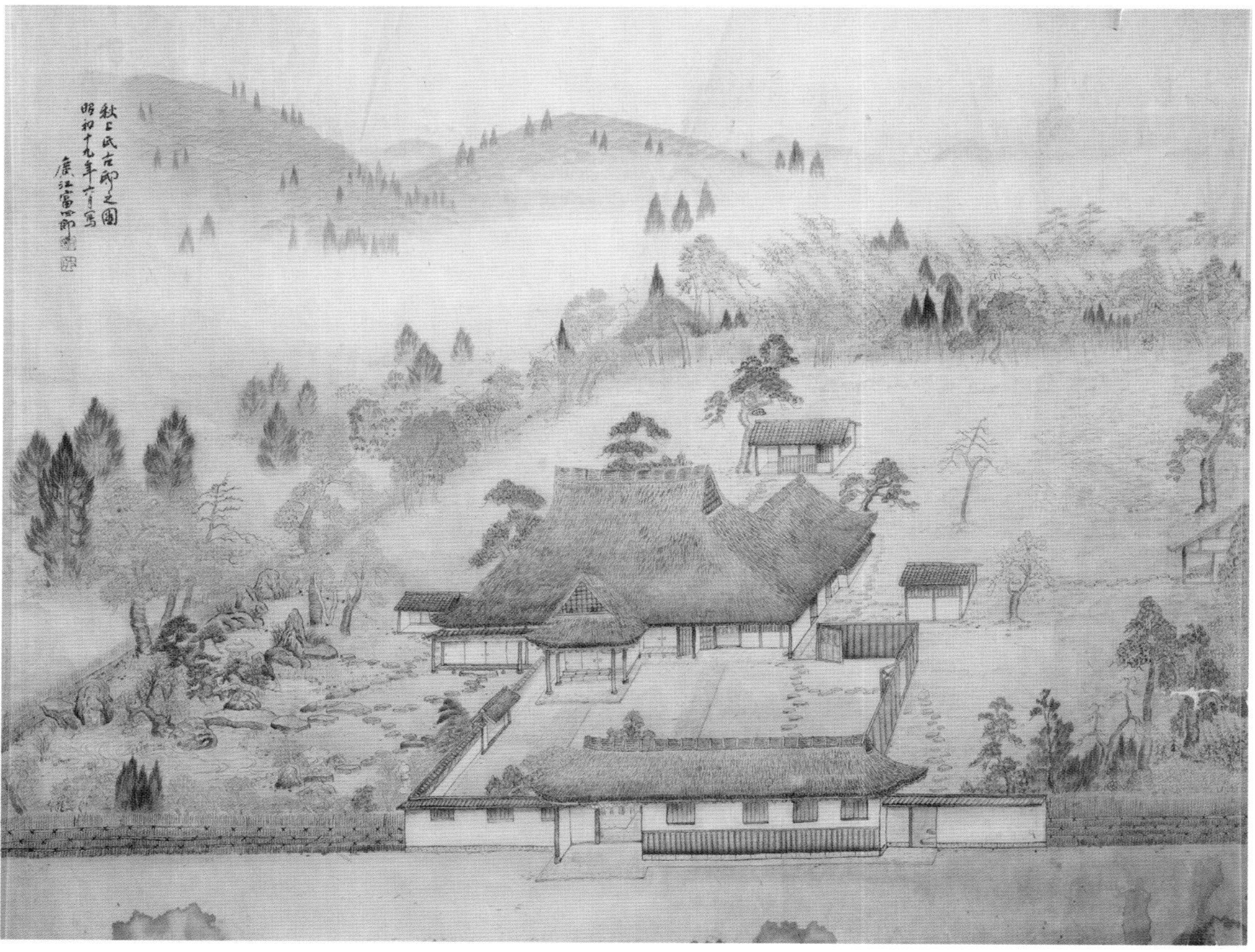

69
大庭神主屋敷図
廣江富四郎
昭和一九年（一九四四）
松江市　神魂神社

65
中国産磁器類等
松江市大庭町字土居／元鳥居他出土
宋～明代　1～5：一二世紀、6・7・9・10・12・14・15：一二世紀後半～一三世紀前半、8：一三世紀、13：一六世紀、11：不明
松江市

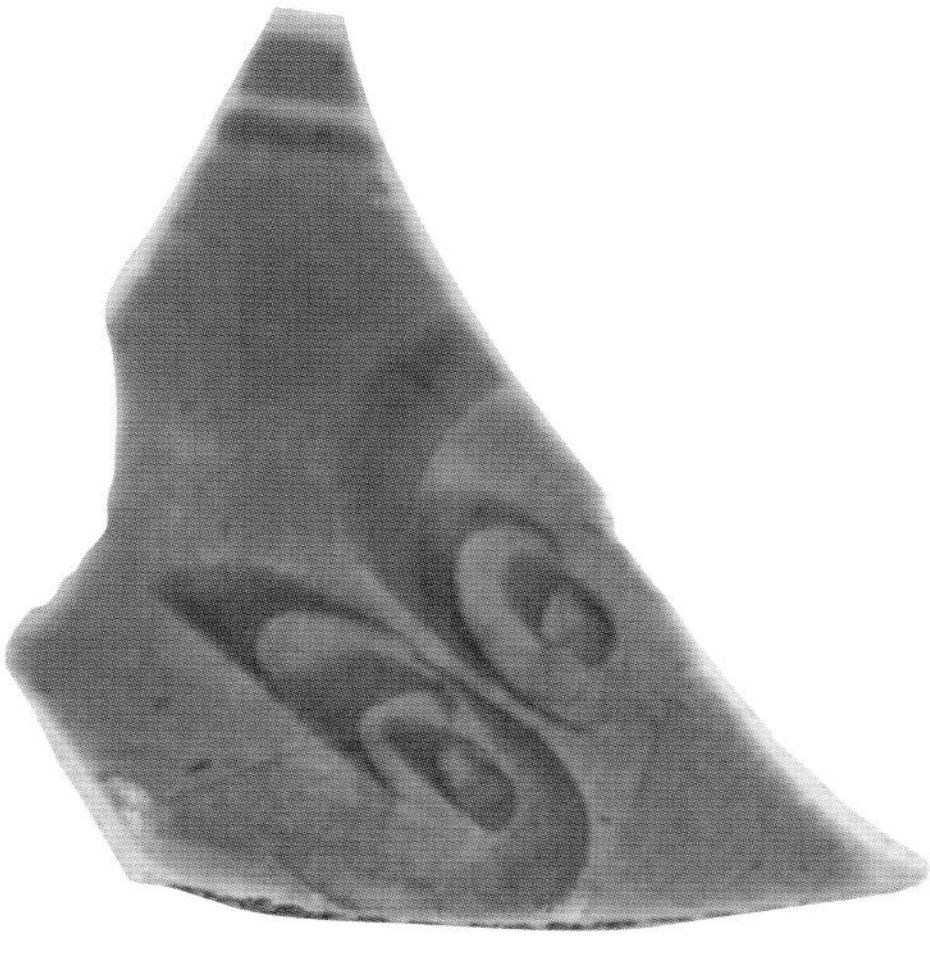

65-12
龍泉窯青磁碗

65-5
白磁碗

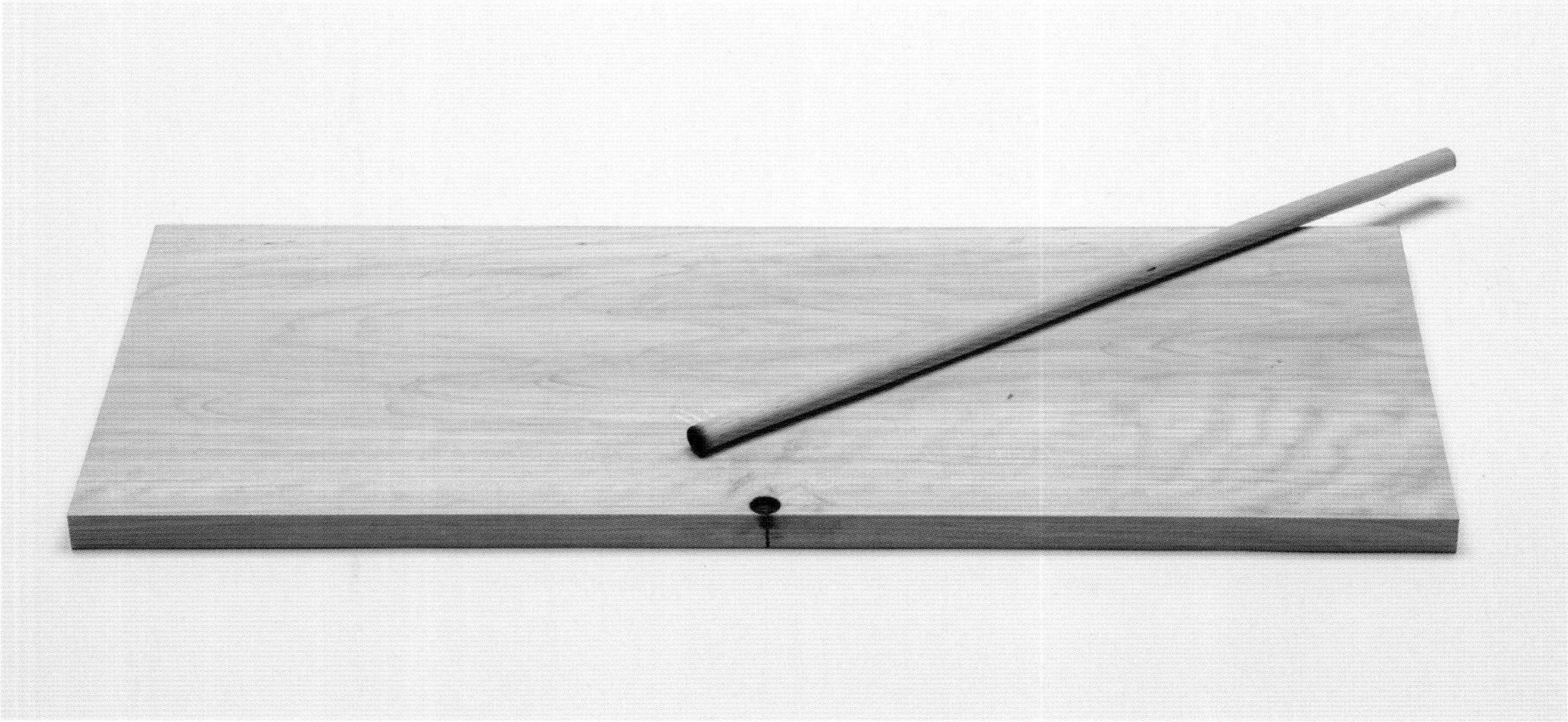

71
燧臼　附、燧杵
平成一七年（二〇〇五）
松江市　神魂神社

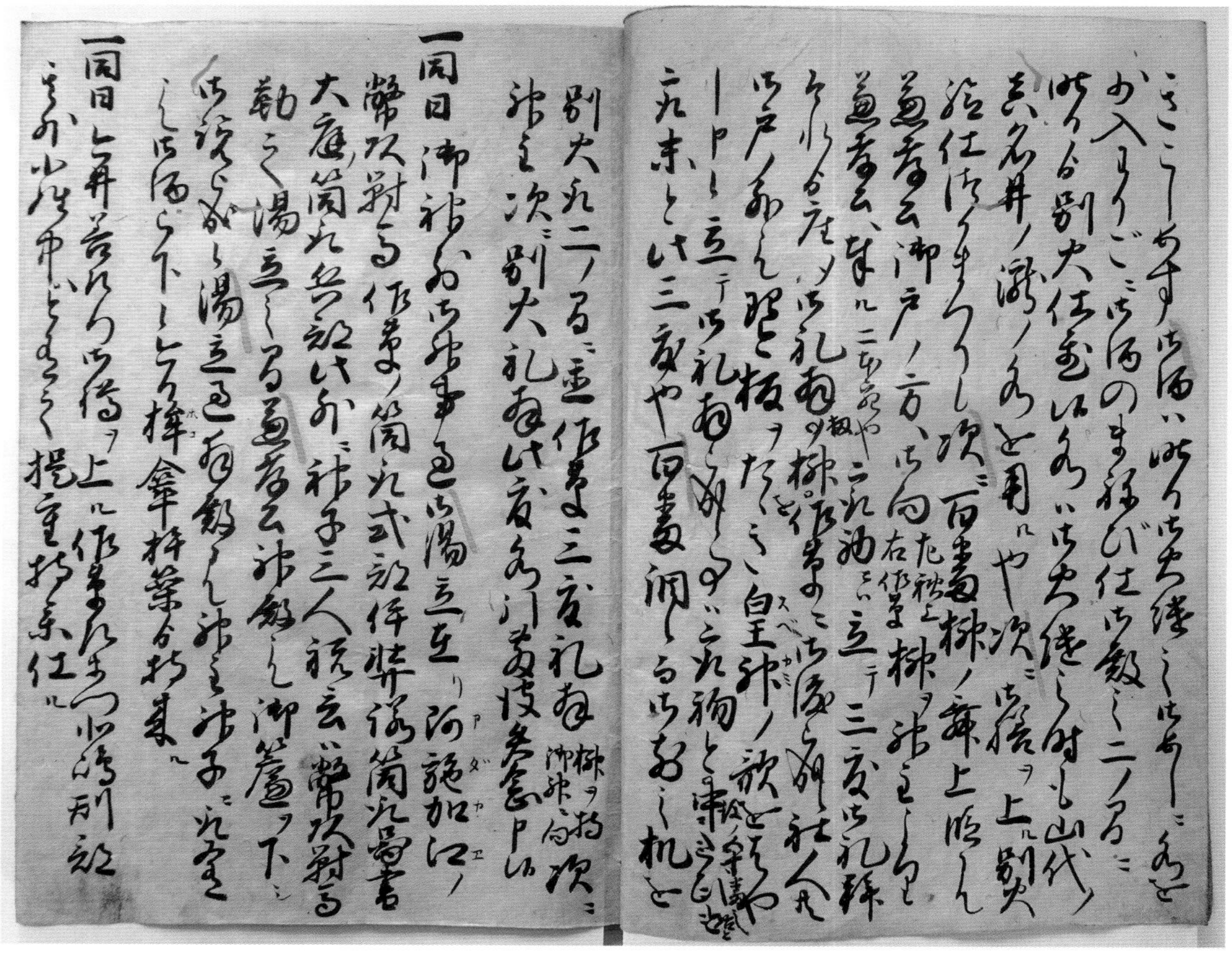

73
兼孝公神火御相続之日記
佐草直清
江戸時代　延宝七年（一六七九）
出雲市　北島家

72-1 **燧臼「新饗祭御火切」附、燧杵、菰**
明治四年（一八七一）
出雲市　北島家

表

裏

72-2 **燧臼「天之御火切」**
明治四年（一八七一）
出雲市　北島家

表

裏

70 **琴板**
近代　二〇世紀
松江市　神魂神社

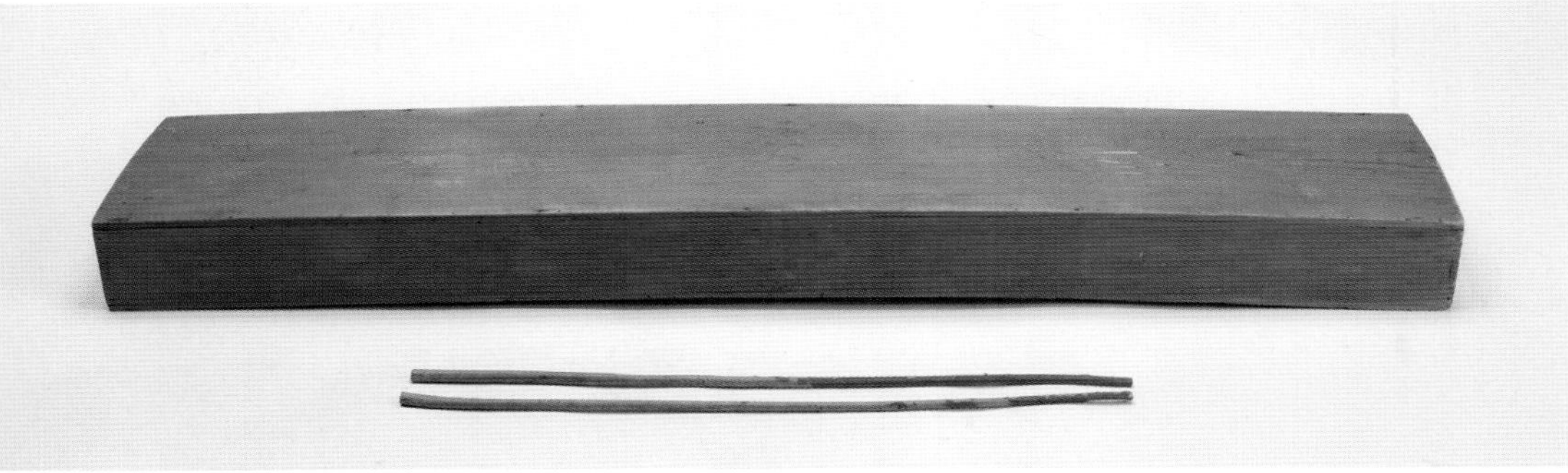
表

裏

68
大庭北島国造館図　影写
高梨兵二
明治時代　一九世紀
松江市　神魂神社

67
大庭千家国造館図　影写
高梨兵二
明治時代　一九世紀
松江市　神魂神社

74
絵馬　新嘗会行列図
豊寂
明治一三年（一八八〇）
松江市　神魂神社

75
二重亀甲剣花菱紋蒔絵先箱
江戸時代　一九世紀
出雲市　北島家

76
二重亀甲剣花菱紋蒔絵挟箱
江戸時代　一九世紀
出雲市　北島家

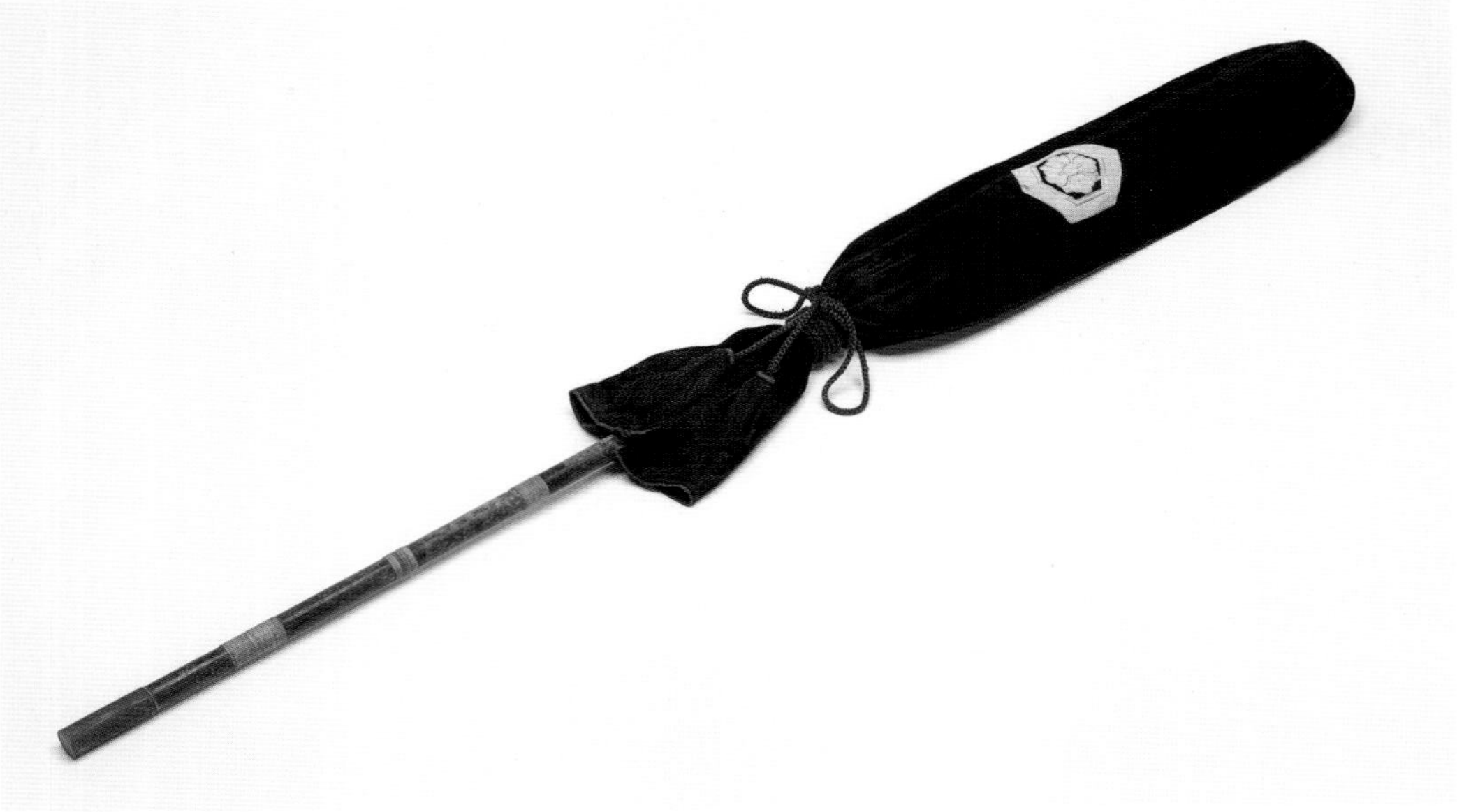

77・78 傘・傘袋
江戸時代 一九世紀
出雲市 北島家

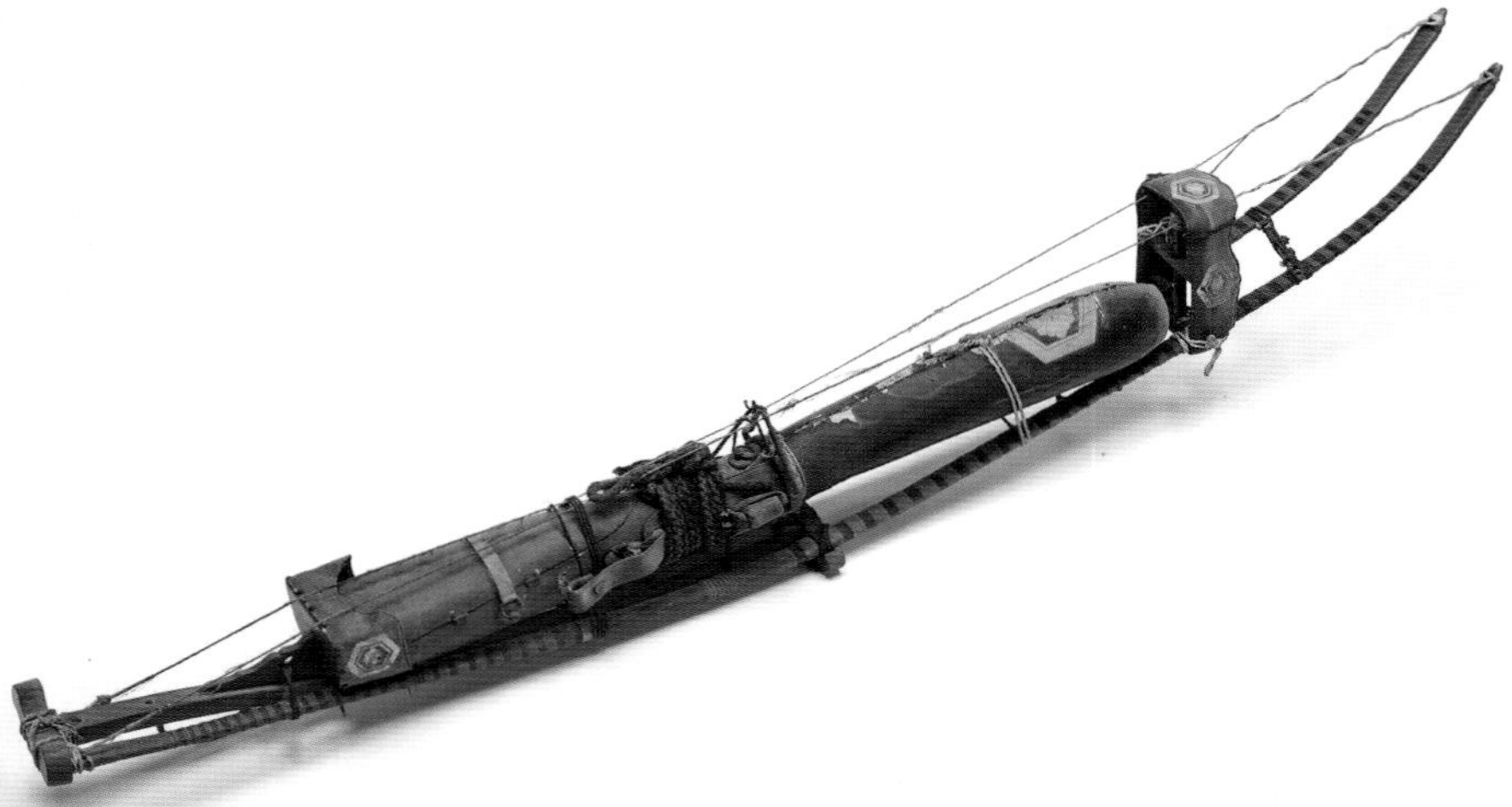

80 二張立弓 附、空穂
江戸時代 一九世紀
出雲市 北島家

81 白木綿二重亀甲剣花菱紋紺染弓袋 附、五色絹
江戸時代 一九世紀
出雲市 北島家

82
黒漆八雲紋蒔絵胡籙
江戸時代　一九世紀
出雲市　北島家

84・85
長刀袋
江戸時代　一九世紀
出雲市　北島家

83
長刀用柄・長刀鞘

87
二重亀甲剣花菱紋長刀袋
江戸時代　一九世紀
出雲市　北島家

参考　明治一四年遷宮に際し、本殿から仮殿（素鵞社）に架橋された浮橋
個人蔵

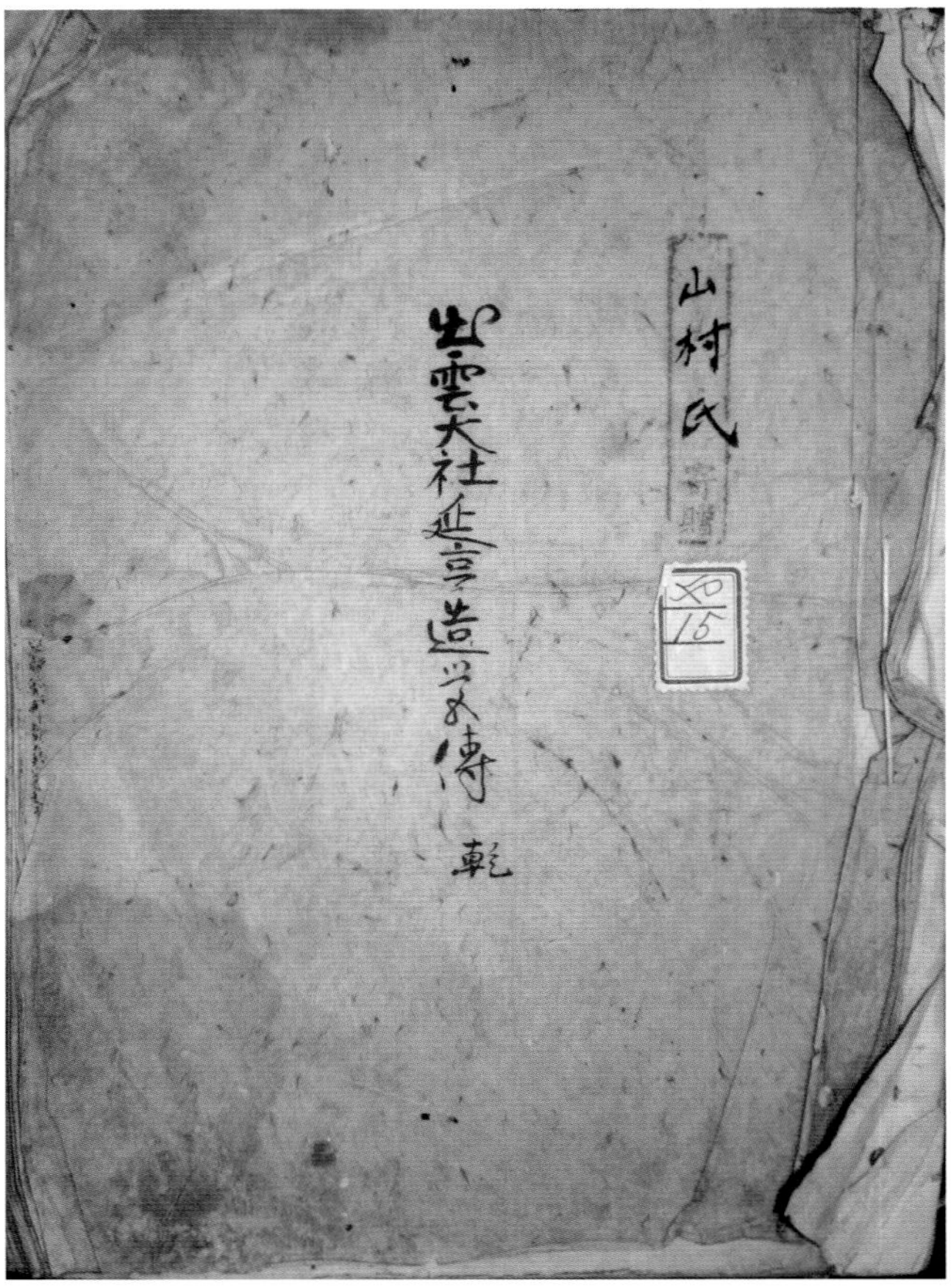

89
出雲大社延享造営伝　乾
江戸時代　一八世紀
出雲市　出雲大社

90-1 出雲大社御造営仮遷座之図
明治一〇年（一八七七）
出雲市 出雲大社

90-2 出雲大社正遷座之図
明治一四年（一八八一）
出雲市 出雲大社

COLUMN

出雲国造神賀詞奏上と行列

奈良時代から平安時代のはじめにかけて、出雲国造は神賀詞《かんよごと》と呼ばれる特別な祝詞を天皇の前で読み上げるため、はるか都まで上京していた。史料上では全部で一五回の奏上の実例が確認できる（表参照）が、奏上の契機については、国造新任時、天皇の即位時などさまざまな説があり、またそれらが時代によって変遷するといった説もある。ここでは、まとめて「天皇と国造との君臣関係が更新された時」を奏上契機としておきたい。

平安時代中期成立の『延喜式』では、国造新任時の場合の次第のみが記されている。朝廷で新たに任じられた国造は、出雲国に帰り一年間潔斎する。その後、出雲国司が国造・祝《はふり》（式内社の奉祭者）・神部《かんとも》・郡司・（郡司の）子弟らを率いて上京し、献上品を奉呈した後、天皇の前で国造が神賀詞を奏上した。

『延喜式』には具体的な上京人数は記されていないが、仮に郡司を出雲国一〇郡計約四〇名、祝を一八六社各一名と想定すると、優に二〇〇人を超える。一五回の実例では、奏上時の人数はほとんど記されていないが、神亀三年（七二六）の出雲臣広島の奏上時には一九五人が授位・賜禄されている。これにあずからない下級神官や郡司の子弟、献上品を運搬する人々も含めれば、かなりの人数が上京していたことは想像に難くない。地方から都への人の移動という点では、神賀詞奏上時の国造一行の上京は、古代日本における最大規模の「行列」であったであろう。

しかし、そもそもなぜ奏上する国造だけでなく、これだけ多くの人々が上京したのであろうか。そのヒントは神賀詞の文言にある。神賀詞は、出雲独自の解釈による国譲り神話と、天皇の健康と長寿になぞらえた献上品を読み上げる内容であるが、その冒頭に「出雲国の一八六社の神々を厳粛に奉祭している私出雲国造が神賀詞を奏上します」、とある。国造は杵築《きづき》大社に坐《いま》す大穴持命《おおあなもちのみこと》（大国主神《おおくにぬしのかみ》）だけでなく、出雲国に鎮座する式内社の神々の奉祭を総括する立場として奏上しているのである。

つまり、神賀詞奏上は出雲国に坐すすべての神々が天皇の御世を寿《ことほ》ぐ構造であるがために、国造だけでなくその神々を祭る祝たちも列席する必要があったと考えられる。出雲国造に加え、祝や郡司など出雲国の有力者総出で行列をなして上京しなくてはならなかった理由はここにあったのである。

（吉松　大志）

出雲国造神賀詞奏上　一覧

	出雲国造	奏上年月日	人数	出雲側の献上品	授位・賜禄	国造任命年月	備　考
1	果安	716(霊亀２)年 ２月10日	110余人	−	果安から祝部まで110余人に授位・賜禄	−	「神祇官人が神賀詞を奏上」 715年９月元正天皇即位
2	広島	724(神亀元)年 １月27日	−	−	翌日に広島・祝・神部に授位・賜禄	−	724年２月に聖武天皇即位
3		726(神亀３)年 ２月２日	195人 (広島＋祝部194人)	神祉剣鏡・白馬鵠等	広島と祝二人に位二階進授 広島に絁・綿・布賜与 自余祝部194人に賜禄		
4	弟山	750(天平勝宝２)年 ２月４日	−	−	弟山に授位 自余祝部に授位、絁・綿賜与	746(天平18)年 ３月	749年７月に孝謙天皇即位
5		751(天平勝宝３)年 ２月22日	−	−	授位・賜物		
6	益方	767(神護景雲元)年 ２月14日	−	−	益方に授位 自余祝部等に授位・賜物	764(天平宝字８)年 １月	764年10月に称徳天皇即位（重祚）
7		768(神護景雲２)年 ２月５日	160人 (益方＋祝部男女159人)	−	益方に授位 祝部男女159人に爵一級授位、賜禄		
8	国成	785(延暦４)年 ２月18日	−	−	国成に授位 自外祝等に授位	−	781年４月に桓武天皇即位 784年11月に長岡京遷都
9		786(延暦５)年 ２月９日	−	−	国成・祝部に賜物		
10	人長	795(延暦14)年 ２月26日	−	−	人長に特に授位	790(延暦９)年 ２月	「遷都によって神賀事を奏上」 794年10月に平安京遷都
11	(姓名不明)	801(延暦20)年 閏正月16日	−	−	−	−	
12	旅人	811(弘仁２)年 ３月27日	−	−	旅人に授位	−	809年４月に嵯峨天皇即位
13		812(弘仁３)年 ３月15日	−	献物	賜禄		
14	豊持	830(天長７)年 ４月２日	−	五種神宝・雑物	豊持に授位	826(天長３)年 ３月	823年４月に淳和天皇即位
15		833(天長10)年 ４月25日	−	白馬１疋・生雉１翼・高机４前・倉代物50荷	豊持に授位		833年２月に仁明天皇即位

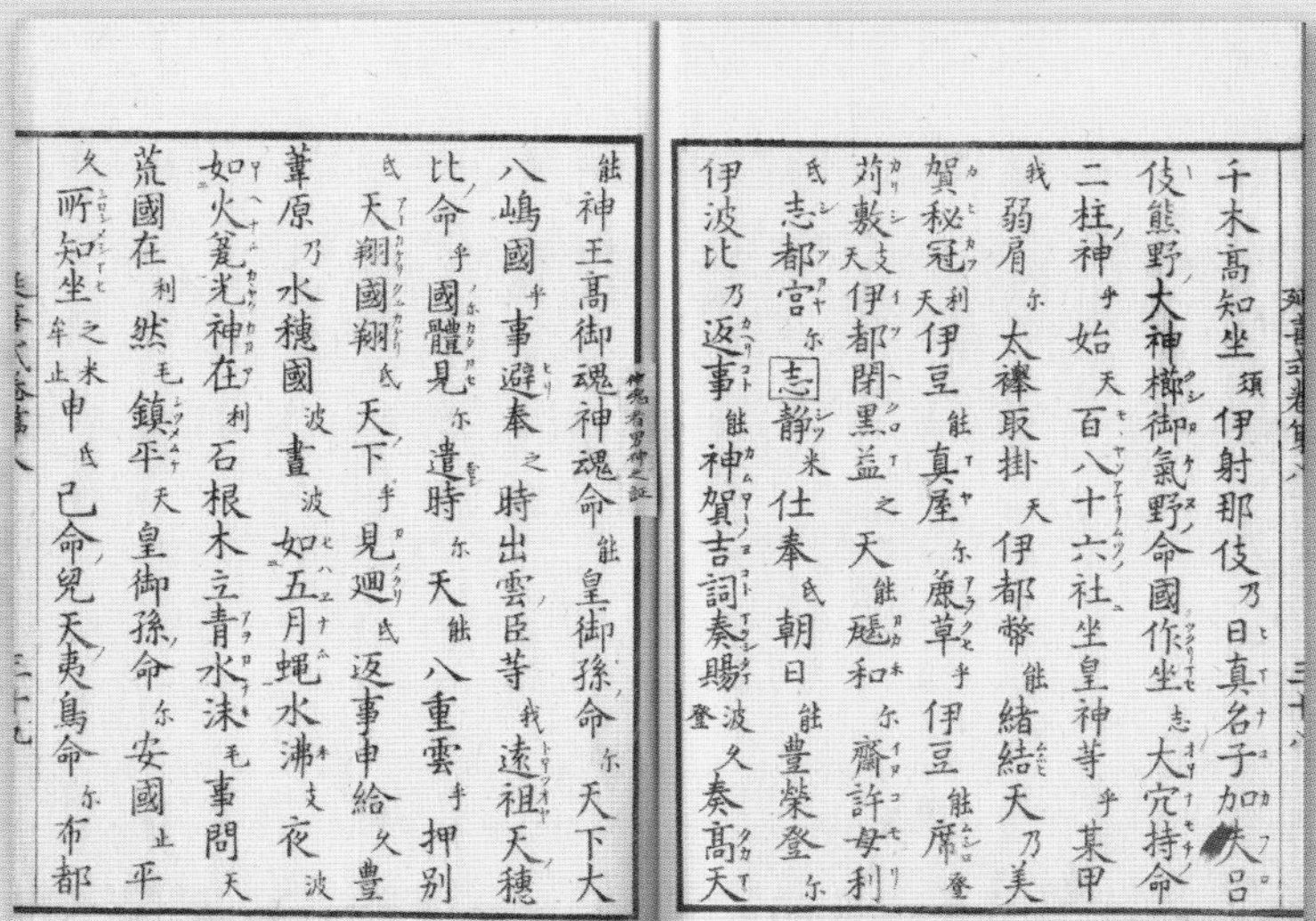
千木高知坐須伊射那伎乃日真名子加夫呂
伎熊野大神櫛御氣野命國作坐志大穴持命
二柱神乎始天百八十六社坐皇神等乎某甲
我弱肩尓太襷取掛天伊都幣能緒結天乃美
賀秘冠利天伊豆能真屋尓麁草乎伊豆能席登
苅敷天伊都閉黒益之天能𤭖和尓齋許母利
氐志都宮尓志静米仕奉氐朝日能豊榮登尓
伊波比乃返事能神賀吉詞奏賜波久登奏高天
能神王高御魂神魂命能皇御孫命尓天下大
八嶋國乎事避奉之時出雲臣等我遠祖天穂
比命乎國體見尓遣時尓天能八重雲乎押別
氐天翔國翔氐天下乎見廻氐返事申給久豊
葦原乃水穂國波晝波如五月蝿水沸支夜波
如火瓮光神在利石根木立青水沫毛事問天
荒國在利然毛鎮平天皇御孫命尓安國止平
久所知坐之米牟止申氐己命兒天夷鳥命尓布都

『延喜式』収載の出雲国造神賀詞に、私出雲国造が「百八十六社に坐す皇神」を祭る、とみえる
（57　延喜式〔出雲藩版〕 古代出雲歴史博物館）

COLUMN

新出の中世北島家古文書

出雲大社の北島国造家では、かねてより所蔵文書の調査・研究が進められ、その研究成果が『出雲国造家文書』(初版一九六八年、再版一九九三年、ともに清文堂出版)として公表されるとともに、古文書は三〇六通(内中世文書は一六六通)が一括して国の重要文化財に指定されてきた。

これらの古文書はすべて裏打ちをされ、巻子本として整理・保存されているが、北島家にはここに採録されなかった古文書がなお多く存在する。こうしたことから、北島国造家のご理解とご支援のもと、二〇一八年四月より国士舘大学の藤森馨氏を研究代表者として、中世北島家文書の全面的な調査を学術振興会の助成を得て進めることとなった。そして二ヶ年にわたる文書蔵の悉皆調査によって、巻子本とは別に三四二通に及ぶ大量の中世文書の存在を確認することができた。その多くは近世になって筆写された中世文書の写しであるが、中世文書の原本も多数含まれており、合わせて一七八通(同一文書の写を除くと一五八通)が従来はまったく知られていなかった、文字通りの新出文書であることが判明した。その内訳は、中世文書の原本が八四通、案文が四八通、そして写本が四六通である。また、従来は千家古文書写という謄写本で知られてきた文書の、より原本に近い案文(一通)の存在も明らかとなった。

これらの文書は、北島国造家が近世における神社経営(社領支配や造営遷宮・祭礼など)の必要から、自家所蔵及び千家家を初めとする佐草家・秋上家や日御碕神社・鰐淵寺などが所蔵する文書の一部をそれぞれ筆写し、あるいは新たに作成したもので、その際に参照したと推察される中世文書の原本や案文の一部が、そのまま近世文書あるいは雑文書として一括され、今日に至ったものと考えられる。その詳細(新出中世文書の具体的な内容)については、科研研究成果報告書等において改めて報告することとし、その中でもとりわけ注目される文書六通を選んでここに展示した。以下、これらの文書について簡単に説明を行うこととする。

最初に掲げた**48杵築大社遷宮入目《いりめ》注文《ちゅうもん》案**と**49杵築大社遷宮入目注文**は、ともに中世杵築大社(明治五年に出雲大社が正式名称となる前の一般的な呼称。以下この呼称を用いる)の遷宮に要する品目などを書き上げたもので、これだけ詳細な内容はこれまで知られておらず、今回初めて明らかとなった。

このうち**48杵築大社遷宮入目注文案**は、国造千家高勝《たかかつ》が記したもので、千家家文書を北島家において筆写したものと考えられる(千家家文書の原本の存在は確認できず)。本文書が作成された享禄四年(一五三一)は、千家高勝が豊俊《とよとし》から家督を継承した二年後で、かつ杵築大社の遷宮式が永正一五年(一五一八)の次は天文一九年(一五五〇)であることから、新国造に就任した高勝がいわば今後の心覚えのために永正一五年の遷宮について記したものと推察される。これに対し**49杵築大社遷宮入目注文**は、北島方の上官《じょうがん》佐草孝清《のりきよ》が、天文一九年に実施される遷宮式を一年後に控え、その準備のために千家・北島両国造によって新たに合意された内容を書き留めたものと考えられる。

この両者を並べてみると、永正一五年から天文一九年まで約三〇年の間隔ということもあって、最初の部分のご神体の装束などはまったく同一の記載で、ご神体の装束とそこに備える神宝や国造・上官・神人の装束など、記載内容の枠組みにも基本的な変化はないが、しかし具体的な記載内容には大きな違いが認められる。その理由は明かでないが、別火を除く上官の数が一二名から一四名に増加していて、それが北島方上官の四名から六名への増加によるものであるなど、神社構造全体の変化に対応するものであったと推察される。天文一九年当時の北島方上官が六名であったことは、同年九月の杵築大社造営遷宮次第（佐草家文書、『大社町史』史料編一二三三号。以下、本書は号数のみを記す）や、同年九月二八日の同文（千家家文書、一二三一号）によっても確認することができる。天正一九年（一五九一）に、別火を除く上官数が千家・北島両家共に八名と定められ、その体制がこののち近世を通じて維持されることとなるが、天文一九年はその移行過程に位置していたことが知られるのである。

50鰐淵寺豪円勘文《かんもん》は、天文一九年に続く、その次の天正八年（一五八〇）の造営遷宮に際し、鰐淵寺竹本坊の豪円が棟上げと遷宮式を行う吉日を選んで、大社奉行の本願文養・高勝寺寿讃・願成寺宥光に伝えたものである。大社奉行とは造営遷宮やそれに関わる重要な事業を国造に代わって執り行う役職で、後述する元亀四年（天正元年、一五七三）の毛利氏の命による造営事業への着手にともなって、新たに設置されたものと考えられる。その明確な史料上の初見は、天正八年（一五八〇）一〇月七日の杵築大社遷宮儀式入目次第（佐草家文書、二〇〇四号）で、この三名が「社《しゃ》奉行」として見える。このうち、本願というのは、別名「本願聖《ひじり》」・「本願上人《しょうにん》」などとも称し、主に戦国期以後全国各地の有力寺社に設けられ、寺社の修理や造営に当たった勧進《かんじん》聖のことで、杵築大社では応仁元年（一四六七）の十穀がその史料初見である（年月日未詳杵築大社旧記御遷宮次第、鰐淵寺文書、『出雲鰐淵寺旧蔵・関係文書』二八七号。以下、本書は関係文書と記す）。その後、天文一九年に尼子晴久の命によって本願が常置となり、南海上人がその初代に任命された（寛文二年六月一六日杵築大社本願次第写、佐草家文書、関係文書三四九号）。本願文養はその三代目に当たる。

さて、竹本坊豪円の勘文であるが、中世杵築大社の場合、造営・遷宮などはすべて宣旨（天皇の命）に基づいて行うのが原則であったから、その日時の選定も中央政府（具体的には陰陽師）によって行われることとなっていた（年月日未詳杵築大社造営遷宮旧記注進、北島家文書、二三五号）。しかし、鎌倉期の宝治年間を最後とする正殿式の造営の停止にともなってその原則も放棄され、日時の選定儀礼そのものが空文化していった。それが形を変えて復活してきたのは、毛利輝元の命に基づいて大社造営に着手された元亀四年で、杣入の日時を鰐淵寺竹本坊の豪円が定めている（前掲、関係文書二八七号）。天正四年の柱立や同八年の棟上げの日時選定もともに豪円が行っており（同上）、本文書はその延長線上に位置している。

このように鰐淵寺が杵築大社の儀式や祭礼にこれほど深く、かつ直接的に関与するようになるのは戦国期になってからのことで、とりわけ毛利元就と和多坊栄芸との緊密な結びつきを契機として、鰐淵寺は杵築大社の「神宮寺」とも呼ばれ（年月日未詳国造北島広孝覚書案、北島家文書、関係文書三二三号）、鰐淵寺僧が杵築大社に仕える社僧と受け取られるようにもなった。和多坊栄芸が天正一一年（一五八三）の大庭神魂神社の造営奉行を務めているのも（秋上家文書、二〇六八号）、その一端を示すものといえる。

51杵築大社入目算用日記案は、尼子晴久の家臣として天文一九年の造営遷宮の実務に携わったと推定される森山藤兵衛尉長久が、その造営遷宮に関わる収支内容を取りまとめ、千家・北島両国造家のいずれかに提出した、その写し（控え）と考えられる。天文一九年九月に国造北島秀孝が作成した杵築大社造営遷宮次第（前掲、一二三三号）に、この遷宮は尼子晴久の立願により、南海上人を修造本願として森山藤兵衛尉等が遂行したと記されているからである。

本文書の最初の紺三〇〇端から宍道白石の公用《くよう》（年貢）一四〇俵までの七項目がいわゆる収入の部に当たり、これが造営遷宮費用（全体のうちの一部か）に充てられたと考えられる。ここでは、紺（紺染めの布か）が出雲国全体に、恐らく棟別などの一国平均役として賦課される一方、石見・伯耆両国にも一〇〇〇俵の米が賦課されていることが注目される。ともに、尼子氏の支配が及んでいたことの具体相を示すものと考えることができよう。いま一つ注目されるのは、鉄一六〇駄が造営遷宮費用に充てられ、それが「たたら役」と称されていることである。すでにたたら製鉄が盛んに行われ、尼子氏による中国山地の諸地域への支配がこうした形でも広がっていたことをうかがわせるものといえるであろう。

棟上げ以下の支出に当たる部分では、祝儀や報償費などの項目が詳細に記されていて、その合計が米一〇四〇俵と銭一一〇〇貫余、それに鰐淵寺僧二〇名への報償費以下が加わることとなっていたようである。この内、千家方上官が七名（「越後」とは越後産の布「越後布」のことか）、北島方上官が六名（これとは別に惣相《そうあい》の別火がある）として計上されているのは、千家方上官の一名が何らかの事情で欠席となり、当初予定の八名が実際には七名に減少したからなのであろう。

以上のように、同じく天文一九年の入目注文とはいっても、先述の49とは大きくその記載内容が異なっており、他の年度でも同様の形式の文書が認められないことから、とりわけ重要な意味を持つ新出文書だということができる。

52北島方上官等連署起請文は、国造北島久孝《ひさのり》が病気のため広孝が家督を継承するとのことで、北島方の上官をはじめ二八名が連署し、異議のないことを神に誓ったものである。

この文禄二年（一五九三）九月二五日には、同日付の文書二通が北島家に残されている。国造北島久孝置文（二三八九号）と国造北島久孝譲状（二三九〇号）である。前者では、国造北島久孝が御上（久孝妻、広孝母）・惣兵衛・明西寺の三名宛に、国造職を少輔次郎（広孝）に譲ることを申し置き、後者では、筋目の御火切と代々の証文及び守護判物《はんもつ》を添えて子息少輔次郎に国造職を譲渡すると伝えている。本文書は、これらと一連のものとして作成されたと考えられる。

ところが、これより一年以上も前の天正二〇年（一五九二）二月二〇日に毛利輝元は北島少輔次郎に「広」の一字を与えるとともに（同、二三五六号）、久孝からの国造職の相続を承認している（同、二三五七号）。そして同年と推定される年未詳九月七日の毛利輝元書状（同、二三六四号）では、国造北島広孝の元服の祝儀への謝意が述べられていて、広孝は元服前に国造職を継承していたことになる。久孝の病状悪化など、何らかの事情で急ぎ国造職を北島久孝から広孝に相続させる必要が生じていたのが、緊急事態の回避などによって、改めて国造職の相続が行われることとなったのであろう。先述の国造北島久孝置文の第一条に「少輔二郎殿分別出来候はん間は、何事も本気御裁判あるべきこと」とあって、幼少の広孝にはなお後見の不可欠であったことが分かる。しかし、久孝は文禄二年閏九月七日に没してしまったため（北島氏系図）、広孝は改めて火継神事を経て国造職・神職を相続することとなったのである（秋上家文書、二三九一〜三号）。

北島久孝から広孝への国造職の継承がこれほど複雑な過程を辿った背景には、久孝の弟北島小三郎豊孝の国造職競望があった。もともと広孝の国造職継承に功績のあった豊孝は、次の国造は自分だとして広孝への国造職継承に異を唱えていて、久孝が没すると自ら神魂社に乗り込んで火継神事を強行し、国造職就任を宣言するまでに至った（年月日未詳国造北島火継旧記、佐草家文書、二四三二号など）。しかし、毛利氏はこれを承認せず、最後は豊孝の娘を広孝の妻とすることで決着が図られた（文禄三年極月一九日毛利輝元判物、北島家文書、二四一六号）。本文書は、火継旧記に「北島家来・親類衆・そし衆各々又上官衆各々又家中の被官老若連判仕る」と記された、その連判に当たると考えられる。なお、署名のみで花押が欠落している四名は、他出などのため不在であったか、もしくは不在などと称して署名を拒否したことによるものと考えられる。

53尼子義久袖判大庭内抜目《ぬけめ》書立《かきたて》案は、毛利元就が石見国を制圧し出雲国に攻め込んできた翌永禄六年の初め、大庭にある神魂社領の内の不知行となっているところ（抜目）を書き上げ、尼子義久が改めてそれらを神魂社に寄進し、同社の祭礼や伊弉諾・伊弉冉・杵築早玉荒神の祭などをつつがなく執り行うよう、秋上三郎右衛門尉（幸益か）に伝えたものである。本文書は秋上家文書（案文）を筆写したものであるが、秋上家文書の中に本文書の原本や案文はもちろん、類似の史料も残されておらず、本文書の重要性が分かる。

本文書で注目されることの一つは、不知行地が多数に上っていることとその知行者が北島・雅孝息女・別火などの神官を始め、鍛冶屋・土器屋《かわらけ》や大工（今井）などの職人、あるいは松浦・多賀・本田・亀井以下の領主など、多様な顔ぶれとなっていることである。

二つには、大庭地域（狭義の大庭や大草・揖屋《いや》などを含む意宇平野一帯を指す）内の多様な地名が確認できることで、揖屋の市庭とそこにある目代屋敷がとりわけ注目される。この目代の実態は明確でないが、この前後の事例では、白潟（明応四年〈一四九五〉正月八日松浦道念寄進状、売布《めふ》神社文書、『松江市史』七五四号）や杵築（天文一五年〈一五四六〉九月二六日秋上重孝他十一名連署書状、坪内家文書、一一九五号）・平田（年未詳六月一八日平田目代等連署書状、坪内家文書、一六八〇号）などの町場を統括する役人の呼称として確認できるので、揖屋地域にも町場が形成され、それを統括する目代が置かれていたのかも知れない。この周辺（出雲郷）にはかつて国司の代官（目代）屋敷が置かれたといわれることもあり（忌部総社神宮寺縁起、『松江市史』史料編七二号）、それらを含め、中世出雲府中（中世国衙）の実態を解明していく上においても、注目する必要があるといえよう。

（井上　寛司）

作品解説

第一章　東京国立博物館とのゆかり

1．元《も》卜昌平阪《しょうへいざか》聖堂ニ於テ博覧会図　一点

昇斎一景
紙本木版多色摺　大判三枚組
三六・四×七〇・〇
明治五年（一八七二）
古代出雲歴史博物館

明治六年三月、湯島聖堂の大成殿を会場として文部省博物局所轄になる博覧会が行われ、会期中一五万人が来場した。この博覧会は翌年のウィーン万国博覧会に日本も参加するにあたり開催されたもので、皇室の御物ほか古器物、大学南校の剥製、標本類など六〇〇件余を出陳、特に名古屋城の金の鯱が話題を呼んだ。

近世の我が国では、絵画、和歌俳諧、和算奉納額が寺社に掲げられて作品陳列の役割を果たしたほか、鉱物や薬草等本草学に関わるものを持ち寄って展覧する物産会（薬品会）や、寺院の出開帳における文物の出張展示、見世物小屋における異国から帰着した漂流民の持ち帰り品の展示など、後の博覧会、博物館展示に先行する事例がみられたが、湯島聖堂の博覧会は初の政府主導で開催したものであり、全国に博覧会ブームを巻き起こすとともに、保存も兼ねた展示の契機ともなった。

この流れを受けて明治一五年（一八八二）上野公園に上野博物館（明治二二年〔一八八九〕に帝室博物館と改称）が開館、戦後再び文部省所轄となり、昭和二七年（一九五二）東京国立博物館と改称した。現在は京都・奈良・九州の国立博物館及び東京・奈良の文化財研究所とともに独立行政法人国立文化財機構の機関の一つとして我が国の文化財の保存活用に努めている。（岡）

2．出雲大社博覧会稟告《りんこく》　一冊

紙本木版
二一・六×一五・五
明治六年（一八七三）
出雲市　北島家

出雲大社博覧会は、「博覧ノ会タルヤ、人ノ知見ヲ広メ、才識ヲ開キ、其益甚大ナリ（略）大社ノ神物宝品及諸社寺ノ秘什蔵器ヲ始メ、民間ノ珍玩奇弄、山海ノ怪物異種等、普ク之ヲ陳列シ、諸人ト共ニ、目ノ未タ識サル所ノ物理ヲ発明シ、共ニ開明ノ境域ニ進歩セン」の趣旨により、明治六年五月一〇日から三〇日まで、出雲大社境内神事所、千家邸、乗光寺（杵築東鍛冶町）の三会場で開催された。博覧会が開催された背景には、幕末維新の動乱、維新後の御師制度・富籤興行の廃止、明治二年（一八六九）年の凶作、同五年（一八七二）の浜田地震などにより参詣者が減少しており、景気浮揚策としての要素もあったのだろう。

展示は、出雲大社では同社及び千家・北島両国造家、日御碕神社、鰐淵寺をはじめとする出雲国内の寺社から、千家邸では地元の手銭家、藤間家、佐草家をはじめ、飯石郡吉田の田部家、出雲郡坂田の勝部家、楯縫郡平田の木佐家など、文雅に造詣が深かった出雲国内の富豪や大社社家から出陳があり、乗光寺では諸品物、草木、鳥獣、雑器が陳列されて売買も行われた。出雲大社における出陳物には、今回の特別展においても展示している日御碕神社の白糸威鎧、北島家の仁孝天皇所用の中啓なども含まれていた。（岡）

3．古墳発見石製模造器具の研究　帝室博物館学報　第一冊　一冊

高橋健自
活版印刷
二五・七×一九・〇
大正八年（一九一九）
島根大学附属図書館

帝室博物館学芸委員の高橋健自が「主として本館列品上古遺物中石材を以て諸種の器具を模造したるものに就きて調査したる実際的事項を録し、旁従来吾人の見聞せしところを参酌して、綜合的研究を試みたるもの」、すなわち古代の石製模造品の総合的分析を館蔵品を観察対象の主体として試みている。

高橋は石製模造品を古墳時代中期以前の「古墳副葬遺物の一種」とし、大和王権の確立以後にまず近畿で製作され、次第に関東でも製造されるようになったものと推測している。全国各地で発掘が行われ、厖大なデータの蓄積を有する現在では、祭祀遺物として祭祀遺跡からも出土することが知られているが、古墳時代中期を中心として見られるものであること、大和で製造がはじまり、次第に各地に伝播したものである点で、高橋の見解は概ね現在と同様である。

資料を収集分類整理し、科学的に変遷や傾向を明らかにする博物学的手法の有用性を示した学報の第一冊目にふさわしい研究報告であったといえよう。（岡）

4・5．土馬《どば》　二軀

松江市・美保神社境内出土
古墳時代か
4．高一四・三　巾一一・〇　長二二・四
東京国立博物館
5．高一四・三　巾一〇・五　長二二・三
松江市　美保神社

島根半島の東端に位置する松江市美保関町美保関地区は、古代から海上交通の要衝地として人や物の往来が盛んであった場所である。ここに鎮座する美保神社は、古くは『出雲国風土記』に「美保社」と記され、中世以降は「えびすさん」の総本宮として崇敬されてきた。境内拡張工事を行っていた大正十年（一九二一）十月に、旧本殿敷地玉垣下の土中から二個体の土馬が発見され、一個体は神社が所有し、もう一個体は帝室博物館（現東京国立博物館）へ寄贈された。鞍《くら》・障泥《あおり》・壺鐙《つぼあぶみ》が作り出され、手綱《たづな》や胸繋《むながい》などが線刻で表現されるなど、丁寧な造りの飾り馬である。尻部裏側には、小孔があり、東京国立博物館のものには三孔、美保神社のものには一孔見られることから、雌雄を表現しているといわれる。祈雨あるいは止雨の祭祀や疫神を去らせる境界祭祀など、様々な祭祀利用が想定される。

（浅沼）

重要文化財
6．八幡《はちまん》三神像　三軀

慶（鏡）覚
木造素地（一部彩色）
八幡神坐像　像高七二・四
息長足姫坐像　像高四四・二
比売神坐像　像高四四・八
鎌倉時代　嘉暦元年（一三二六）
飯南町　赤穴《あかな》八幡宮（東京国立博物館寄託）

主尊である八幡神像の左右に、息長足姫《おきながたらしひめ》像と比売《ひめ》神像が付随する三尊一具の像。八幡神は応神天皇と同一視される尊格で、息長足姫はその母である神功皇后のことである。仏教との習合により八幡神像は僧形に表されることも多いが、本像は冠と袍をまとった束帯姿（平安時代以降の貴族の正装）で表される。いずれも寄木造りで内刳りが施され、八幡神像の内部には二枚の木札が納められていた。うち一枚には嘉暦元年（一三二六）の制作年とともに、造像主体者として当地の地頭「紀季実」、作者として「大仏師山城国鏡覚」（別の箇所には「慶覚」とも）の名がみえる。

表情は写実的に、体軀の衣文は丁寧に彫出されており、鎌倉時代の一流仏師らしい作者の高い技量が窺える。一方、髪や面部の一部のみに彩色を施し他は素地仕上げにする点などは、前時代の神像彫刻に通ずる特徴である。鎌倉期神像彫刻の基準作として、その存在意義は極めて大きい。

平安時代後期、当地には山城・石清水八幡宮の荘園が形成され、同宮の別宮として赤穴別宮が記録にあらわれる。神事を執り行っていたのは石清水八幡宮側から派遣されたと思われる紀氏で、銘文にあった紀季実はその一族である。都との強い繋がりの中で本像は造られた。

（濱田）

国宝
7．白糸威鎧《しろいとおどしよろい》　兜・大袖付　一領

鍛鉄、皮革、絹、漆
胴高六三・六
鎌倉時代　一四世紀
出雲市　日御碕神社（東京国立博物館寄託）

8．源頼朝卿御鎧修補註文《みなもとのよりともきょうおんよろいしゅうほちゅうもん》　一冊

寺元安宅
紙本墨書
二八・五×一九・五
江戸時代　文化二年（一八〇五）
出雲市　日御碕神社（東京国立博物館寄託）

9．白糸威鎧　復元　一領

明珍宗恭
鍛鉄、皮革、絹、漆
胴高六三・六
平成八年（一九九六）
出雲文化伝承館

兜、袖までほぼ完存している鎌倉時代末期の優品。かつて源頼朝寄進といい伝えられてきたが、鍬形台《くわがただい》や吹返《ふきかえし》、鳩尾板《きゅうび》等の居文金物《すえかなもの》の紋が佐々木氏や佐々木氏の出である出雲守護の塩冶氏の家紋に似ることが近年指摘されている。時期的には佐々木貞清《さだきよ》、その嫡男塩《えん》冶高貞《やたかさだ》あたりが寄進者として想定される。

この鎧について更に特筆すべきは、松江松平家七代藩主治郷《はるさと》（不昧）による修補事業である。修補は寺元安宅《やすおり》（喜一）に命じられているが、修理にあたって詳細にまとめられた仕様書が8である。本書では、部分の細部にわたり方針が記されているが、本来の材質形状等がわかる部分は文化二年（一八〇五）に修補した旨を明記し、本来の形状構造等不明な部分は敢えて復元は行わない（安易な復元は本来とは異なる可能性があるため避ける）姿勢で一貫している。これは現代の我が国における文化財の修復と基本的に同じ認識であり、その卓見には驚嘆させられる。

不昧は生涯にわたり茶道具をはじめとして多くの文化財を蒐集したが、保存にあたっては仕覆《しふく》、箱、風呂敷に至るまでこだわり、かつ蒐集品の伝来、入手先、価格、評価額、付属品にいたるまで記録（『雲州蔵帳』）、定期的に虫干しを行う等現在の博物館業務とほぼ変わらない（いやむしろ不昧のほうが徹底している）作業を実現していた。この鎧がほぼ完存の状態で今に伝えられることになったのは、非凡なる不昧の保存意識や管理能力のおかげである。

これに対して、長年の調査研究と文化財の保存修復の実績を基に果敢に復元を試み、この鎧の復元を実現したのは明珍宗恭《みょうちんむねゆき》（一九一七〜二〇一一）である。室町末期以来続く甲冑師・明珍家の宗家に生まれ、一〇歳の時から従事。日本甲冑研究の碩学・山上八郎とともに全国の伝世品をつぶさに観察し、修理したものは一〇〇〇領を超えるといわれる（修復された文化財には、江津市桜江町甘南備寺所蔵「櫨匂《はじにおい》威鎧残闕」〔平安時代、重文〕も含まれる）。この明珍氏が三年の歳月をかけて取り組んだ最後の大事業がこの鎧の復元である。いわばこの復元鎧は、氏の長年にわたる調査、復元修復の到達点といえるだろう。（岡）

重要文化財

10–1．梨地笹龍膽紋糸巻太刀拵《なしじささりんどうもんいとまきたちこしらえ》　一口

漆塗　蒔絵
総長九九・七
江戸時代　一七〜一八世紀
東京国立博物館　雲州三谷家明徳会旧蔵

10–2．梨地笹龍膽梅枝紋蒔絵太刀箱《なしじささりんどうばいしもんまきえたちばこ》　一合

漆塗　蒔絵
縦一二一・六　巾一六・一　高さ一八・二
江戸時代　一八世紀
東京国立博物館　雲州三谷家明徳会旧蔵

重要文化財「太刀　銘貞真」に附属する拵と箱。貞真は備前国福岡、現在の岡山県瀬戸内市（旧長船町）福岡で興った福岡一文字派の刀工で、宝治年間（一二四七〜四九）頃に活躍したといい、この太刀の制作年代も鎌倉時代前期とみられている。江戸時代には筑後国久留米藩の有馬家に伝来。当時作られた拵や箱には、同家の家紋のひとつ、龍膽車紋があらわされている。松江藩家老をつとめた三谷家を経て、東京国立博物館に収蔵された。（濱田）

11．百合若《ゆりわか》物語絵巻　三巻のうち上巻・中巻

紙本着色
上巻　三〇・九×一一六九・一
中巻　三〇・九×一〇八九・七
江戸時代　一八世紀
東京国立博物館　松江松平家旧蔵

「百合若大臣《ゆりわかだいじん》」とも呼ばれる説話を題材とした絵巻。幸若舞の代表的語り物の一つで、寛永年間（一六二四〜四五）の頃刊行された絵入本『舞の本』にも収録された。

嵯峨天皇の頃、大和の長谷寺の観音に願掛けして生まれた左大臣公満《きんみつ》の子息・百合若は、若くして右大臣に出世。神祇の助けにより九州に攻め寄せてきた「むくり・こくり」を撃破した後、玄界か島で眠りまどろんでいる内に部下の別府兄弟に裏切られ、島に取り残されてしまう。

戦功により筑紫国司となった兄の別府太郎は、百合若の御台所をも手に入れようとする。主人が帰らない中で、御台所が解き放った鷹が百合若のもとにたどり着く。百合若は血でしたためた手紙を持たせて御台所に送り、御台所も筆硯を結わえて放ったが、重さに堪えず鷹は死んで流れ着く。その後御台所が宇佐八幡に祈願した甲斐あって百合若は生還し、復讐を遂げる。

本図の上巻は出生から「むくり・こくり」との合戦場面を、中巻は島に取り残された百合若と、百合若の生存を確信して言い寄る別府太郎をあしらいつつ時期をかせぐ御台所の様子を描く。良質の岩絵具を用い細部まで丁寧に描きこんだ良作で、各巻見返しは練色地の金砂子切箔を散らし、詞書部分の料紙は山川、草木等を金泥で描いて装飾とする。大名の調度品にふさわしく、長巻かつ丁寧な制作である。寛永年間に刊行された幸若舞曲三六番を収録する『舞の本』所収の「百合若大臣」と類似性が強い。同様に『舞の本』を基に寛文〜延宝頃徳川家、松平の発注で制作された絵巻が幾例か確認されており、海北友雪《かいほうゆうせつ》の画風に似ることが指摘されている。（岡）

第二章　まぼろしの洛中洛外図と松江藩主の大名行列図

12．松平直政《なおまさ》像　一幅

紙本着色
一〇〇・八×四七・三
近代　二〇世紀
松江市　月照寺

霊元天皇の即位の大礼に赴いた頃、もう一つの大業である願主を徳川家綱とする出雲大社の寛文大造営も軌道に乗った頃の、老年に達した束帯姿の肖像。松江歴史館には九代藩主斉貴《なりたけ》が「直政公神影」と箱書きした同様の図があり、おそらくこれを基に制作されたのが本図であろう。

松平直政（一六〇一～六六）は、徳川家康の次男・結城秀康の三男。初陣である大坂の陣（一六一四・一五）で戦功を挙げ、越前大野、信州松本を経て寛永一五年（一六三八）雲州松江一八万六〇〇〇石の国持大名となった。

所蔵する松江市の浄土宗月照寺は、寛文四年（一六六四）荒廃していた禅宗洞雲寺を改め、直政の生母月照院の供養寺として改宗再興された。以後江戸西久保の天徳寺とともに松江松平家の菩提寺となり、初代直政から九代斉貴までの廟門を伴う墓が残り（国史跡指定）、歴代藩主ゆかりの遺品を宝物殿で公開している。寺領二〇〇石、御目見が許された松江城下一八ヶ寺中列格は筆頭を誇った。　（岡）

13―1．御即位《ごそくい》為御名代《ごみょうだいとして》直政公《なおまさこう》上洛《じょうらく》　一冊

紙本墨書
二五・七×一九・〇
成立　江戸時代　寛文三年（一六六三）
書写　江戸時代　文政一一年（一八二八）
古代出雲歴史博物館

13―2．本願《ほんがん》出入《でいり》ニ付《つき》江戸日記　一冊

佐草自清　紙本墨書
一二・七×二〇・三
江戸時代　寛文二年（一六六二）
個人蔵

13―3．越前《えちぜん》家譜《かふ》　五冊のうち一冊

紙本墨書
二二・〇×一六・〇
江戸時代　一九世紀
個人蔵

15．洛中洛外図屏風（模本）　一一幅のうち右隻五幅

原本　狩野元信　模写　中村三之丞　紙本着色
各一六〇・三×六二・一
原本　室町時代　一六世紀
模写　江戸時代　一八世紀
東京国立博物館

『御即位為御名代直政公上洛』は、寛文二年（一六六二）直政が幕府より即位参賀の名代を命ぜられてから、翌三年業を終えて朝廷へ官位昇進御礼の進物を献じるまでを録したもの。供奉した士分、進物の内訳まで詳細に記録する。寛文三年五月廿六日条に「公方様へ京都より之御土産、古法眼之筆洛中之御屏風一双上ル、但浅黄巾包、（下）家ハ桐ノ箱ためぬり、上家有之」とある。

また『越前家譜』（結城秀康をはじめ越前諸家歴代の年譜）の同日の条にも「京都包貢《みやげ》として洛中図屏風一双、越前前司狩野元信入道法眼筆」とあり、一見するとこれら文面のみでは「古法眼筆洛中之屏風」は滞京中に入手されたように受け止められる。

しかし『本願出入ニ付江戸日記』（寛文二年、幕府から出雲大社の造営が公許された際、戦国時代以来勧進、造営遷宮、修繕を管掌していた本願と千家北島両国造家をはじめとする社家側との間で起こった出入《でいり》［争論］のため、社家側の代表として江戸に赴いた北島国造家附き上官佐草自清《よりきよ》の江戸滞在中の日記）六月廿三日の条には、「御中屋敷ニて古法眼天下一双洛中ノ屏風見物」とあるため上洛以前から松江松平家の蔵品であり、かつ上洛の前年には江戸中屋敷で保管されていたことが知られ、京土産とは名目に過ぎなかった。

さて東博模本の原図「洛中洛外図」の制作年代について小島道裕は、細川晴元が京に在って政権を維持していた頃のもので、敵対する細川高国関係の事物を描かない代わりに阿波細川氏関係のものを描き、屋敷、名所の貼り紙に説明的書き方が多く、月次《つきなみ》祭礼の描写が細かいなど都をよく知らない洛外の人向け的であること、描かれた特定の建物、位置から、天文一二～一三年（一五四三～四四）頃、阿波細川氏または阿波の国人で後に晴元に離反して畿内を支配した三好氏の発注品とし、阿波に伝来したと推定する。また制作者についても狩野元信ではないとみる。

しかし、前述のようにもし東博模本原図の「洛中洛外図」が直政が将軍家綱に献上したものであるとするならば、関係史料はいずれも元信を作者としている。特に注目されるのは『越前家譜』の「越前前司狩野元信入道法眼筆」の記述で、これは屏風の款記を基にしたのだろう。

元信七四歳、天文一八年（一五四九）に完成した「四

季花鳥図屏風」(白鶴美術館所蔵、重文）には「狩野越前法眼元信生年七十四筆」とある。とするならば直政所持の「洛中洛外図」はそれ以降、洛中最晩年の頃における制作事業であったことが判明する。無論最晩年に多くの描き込みを要する大作にどこまで直接筆をとったかは体力的にも問題があり、恐らくは元信は工房において総指揮を取り、より分業を進めた形で制作したとみるのが妥当だろう。直政が本図を所蔵するに至った経緯は明らかでないが、結城秀康―忠直―直政の流れを仮に想定しておきたい。

平成一三年（二〇〇一）、東京大学史料編纂所では、この模本の原寸大カラー写真を基に透き写し、上杉本洛中洛外図をはじめ、後世の画論、同時代の屏風絵を参考にして復元模写を制作している（本図録三四～三七頁参考画像。なお復元模写は、ADEAC〔公共機関、大学等所有歴史資料のデジタルアーカイブ検索・閲覧システム〕により、インターネット上で高精細の画像を閲覧することができる）。

（岡）

14. 洛中洛外図屏風（島根県本） 六曲一双

紙本金地着色
各一五三・五×三五七・五
江戸時代　元和年間（一六一五–二四）頃
島根県企業局（島根県立美術館寄託）

元和年間（一六一五～二四）中頃の都の景観を描いたとされる洛中洛外図屏風。洛中洛外図は描かれた景観の年代と実際の制作年代の差がしばしば問題となるが、本作は実際の制作年代も元和年間後半頃と考えられており、であれば松平直政旧蔵のものよりも六〇年ほど後の時代の作品ということになる。右隻中央に誓願寺を大きく描くことから、誓願寺本と呼称されることもある。作風の特徴は、比較的大きめの金雲によって囲う形で区画をつくり、その区画ごとに対象を大きく描き、さらに建物や人物の細部を丁寧に描く点にある。

洛中・洛外の人々を生き生きと描いているのが洛中洛外図の何よりの魅力だ。特に本展のテーマ「行列」に着目するならば、まず右隻一・二扇（向かって右から一つめ・二つめの画面）の下方には祇園祭の山鉾巡業の行列が描かれる。人々の豊かな表情や身体の動き、それに極めて子細かつ色鮮やかに描かれた各種の山鉾が目をひく。その上方の橋の上には馬に乗って赤い長羽織を着た人物を中心とする武家の行列がある。四扇中央には誓願寺、六扇左下には御所が描かれる。いっぽう、左隻一扇には賀茂競馬とそれを見る人々の列がある。二扇から三扇にかけて歌舞伎小屋が描かれ、一目見ようと小屋の外にまで行列ができている。三扇の上方には北野社があり、門前には朝鮮通信使とみられる一行が描かれる。そして四扇を中心にして二条城が大きく描かれ、大手門の前には異国の動物を伴った西洋人の行列が描かれる。特徴ある服装をまとう彼らを、市井の人々は少し離れたところから興味深そうに見つめている。

（濱田）

16. 松平斉貴《なりたけ》像 一幅

紙本墨画
一二五×三七・三
江戸時代　一九世紀
島根県立図書館

鷹匠装束の炯眼《けいがん》の斉貴像。四〇代、藩主を退いた後の肖像であろう。

初代直政は鷹狩を好み、将軍家より江戸近郊の武蔵境（武蔵野市）に広大な鷹場を拝領し、同地内に杵築大社を勧請している（現存）。また斉貴の祖父不昧も鷹を好んだという。その影響もあったのだろう、斉貴は良鷹を求めたのみならず、多くの鷹書を蒐集研究して、みずから鷹の礼法を制するほど心血を注いだ。

（岡）

17. 雲州公御上京御行列《うんしゅうこうごじょうきょうごぎょうれつ》 第二巻 三巻のうち一巻

陶山雅純（勝寂）
紙本着色
三九・七×一二一五・〇
江戸時代　一九世紀
古代出雲歴史博物館

18. 松平斉貴行列絵巻 第三冊 五冊のうち一冊

陶山雅純（勝寂）
紙本着色
三六・四×二〇六七・〇
江戸時代　一九世紀
松江市

19. 松平斉貴上京行列図 上巻 二巻のうち一巻

陶山雅純（勝寂）
紙本着色
四二・〇×一〇三六・〇
江戸時代　一九世紀
古代出雲歴史博物館

20. 松平斉貴上京行列図 第一巻・第三巻 五巻のうち二巻

陶山雅純（勝寂）
紙本着色
第一巻　四三・〇×一七七四・九
第三巻　四三・〇×二〇〇二・〇
江戸時代　一九世紀
東京国立博物館　松江松平家旧蔵

松平斉貴が上洛した際の一行の形装を描く。大名行列図は全国に現存するものの、その多くは行列の供揃えをスケッチ的に描いたものが多い。行列を描くとなれば、相応の紙数を要する。絵柄が単調になりやすい上に、多人数を描くのはなかなかに根気を要する作業である。故に、逆に装束や仕草の描写は簡略になりやすい。

岩絵具をふんだんに用い、人物一人一人の持ち物、装束にいたるまで細かく描き分けるとなると、十数メートルないしは数巻から成る全長数十メートルにもなる大長巻となってしまう。これは細密な屏風を数隻描くのに匹敵する、いや場合によりそれを遙かに上回る作画期間と経費を要することになる。従って、ていねいかつ長大な大名行列図は、相応の資力を持つ者が、それなりの意図をもって制作させたと基本的に考えていい。

全五巻、全長一〇六メートルにもおよぶ本図については松原祥子による研究があり、松江歴史館図録『雲州松平家の大名行列　お殿様の道中と街道』に20を全巻掲載する。また孝明天皇の即位に伴う斉貴の上京関連の松平家史料は一括して国文学研究資料館に収蔵されている。

まず最初の下絵17「雲州公御上京御行列」では「御上京行列帳」の配列に基づき人馬、荷物の位置、仕草も含めて作成決定し、次の段階の下絵18「松平斉貴行列絵巻」では、行列帳では明らかでなかった家臣たちの荷物ごとの家紋の特定、衣装の柄など、細かいチェックに基づく描画がなされている。これに対し下絵19「松平斉貴上京行列図」は、完成作の20「松平斉貴上京行列図」と比較すると、前者はすやり霞のみに対して、後者はその内側に更に金彩の霞を施す。また家臣らが被る菅笠を濃い墨で縁取りする前者に対して、後者ではやや薄く自然な仕上がりにする。それ以外は前者後者ともに細かい描写、彩色を含めて確認できる相違点はあまり見当たらない。下絵19は第三巻しか現存しないが、これは当初からこの巻のみ作成したのだろう。すなわち藩主の供揃えからなる第三巻のみを完成見本として作成し、藩主に伺いを立て、その上で20を制作したのだろう。いずれにしても並ならぬ時間と手間、少なからざる経費をかけたことは間違いなく、斉貴の執念に近い熱意を感じ取ることが出来よう。

制作を手がけた陶山《すやま》勝寂（一八二八～七七。雅純。号円々斎）は松江藩お抱え絵師。幕府の奥絵師狩野勝川院（雅信）門人で、同門に橋本雅邦、狩野芳崖がいる。作品に「松平直政初陣図」（松江天倫寺所蔵）、「四季眺望図」（個人蔵）がある。本図は勝寂の代表作であり、門弟も動員して手がけたのだろうが詳細は明らかでない。また17は松江の美術工芸研究家、特に装剣金工史と肉筆浮世絵のコレクターとして名高い桑原羊次郎旧蔵品である。

（岡）

21．摺物《すりもの》　京都御名代行列附《ごみょうだいぎょうれつづけ》　一点

紙本木版　単色摺　横判三枚組
二九・〇×七六・六
江戸時代　弘化四年（一八四七）
古代出雲歴史博物館

晴れがましき盛儀である天皇の即位への人々の関心の高さは、昔も今も変わらない。即位が行われたのは九月二三日。翌二四・二五日には南殿庭上から御即位調度の一般公開が行われ、「雑人雲霞《ぞうにんうんか》の如しと云々。車寄《くるまよせ》の前、尺地もなき混雑なり」（『隆光卿記』）という有様だった。斉貴の供揃えの行列も上洛前から話題となり、相次いで絵入りの刷り物や小冊子が出版された。また斉貴に付き添った高家《こうけ》旗本の武田信典《のぶのり》、同織田信《のぶ》恭《やす》一行も含めた刷り物も出ている。これらに記された人数には誇張もあるが、斉貴に近侍した家臣の名前などは思いのほか正確である。松江藩の江戸屋敷や京の蔵屋敷などから間接的に行列の情報を入手したのかもしれない。幕末は現在の我々の想像以上に様々な媒体を通じて情報が飛び交う社会になっていたのである。

（岡）

22．御即位御次第《ごそくいごしだい》　一冊

紙本墨書
江戸時代　弘化四年（一八四七）
出雲市　北島家

弘化四年九月二三日挙行された孝明天皇の即位における儀式の次第（『孝明天皇紀』所収）。式は早朝から始まり、百官は先例に従い、定められた場所に着く。鼓師の太鼓を合図に、紫宸殿への諸門の太鼓もこれに応じ、公卿らが幄座《あくざ》から承明門より内に入り庭内所定の位置に着いて北面する（この間、隼人《はやと》が三度吠えて一礼）。やがて関白は陰陽師から吉時（挙行するに相応しい時間）となったことを申し上げ、天皇は剣・璽《じ》を先頭にして清涼殿から紫宸殿《ししんでん》の高御座《たかみくら》に進み着座。次いで内侍《ないし》が剣を左方、璽を右方に置き、関白は天皇に笏をたてまつり、内侍らはそれぞれ所定の場所に着く。高御座から南面する天皇は諸官にまみえて礼を受け、主殿《とのも》は爐に火を入れ、図書《ずしょ》は香を焚く。百官再拝後宣命大夫《せんみょうだいぶ》が宣命を奉る。終わって群官は再拝、武官は旗を振る（ここで万歳《ばんざい》を唱えるが、近代は称えない、とある）。以後次第に従い元のごとくに行い、天皇還御の後、太鼓を合図として諸官退出して終える。

本史料が北島国造家に伝来した経緯は現在のところ

明らかではないが、松平斉貴が参列する関係上あらかじめ松江藩に伝えられていたことは間違いなく、その写しが藩の寺社奉行を経て伝えられた可能性が高い。

（岡）

松江市指定文化財

23．太刀　銘「包平《かねひら》」　一振

鍛鉄製
総長七一・〇
平安時代　一一世紀
松江市　松江直政拝領

寛文三年（一六六三）四月二七日、霊元天皇の即位の大礼に際し、松平直政は四代将軍徳川家綱の名代として宮中に参内した。大役を終え、五月六日に再び参内した直政は、天皇から天盃と太刀一腰を下賜される。その太刀が本作にあたる。松江松平家の重宝として伝来した。作者「包平」は平安時代後期の備前の刀工。

（濱田）

島根県指定文化財

24－1．太刀　銘「来国光《らいくにみつ》」　一振

24－2．梨地菊桐紋高蒔絵糸巻太刀拵《なしじきくきりもんたかまきえいとまきたちこしらえ》　一腰

刀身　鍛鉄製　総長六七・〇
鎌倉～南北朝時代　一四世紀
拵　漆塗　蒔絵　全長一〇三
江戸時代　一八～一九世紀
海士町　隠岐神社　孝明天皇下賜

来国光は、鎌倉時代末期から南北朝時代にかけて山城国で活躍した来派の刀工。この太刀は、弘化四年（一八四七）、松江藩主松平斉貴が将軍名代として孝明天皇の即位の礼に参内した際に拝領したもの。鞘には菊・五三の桐紋が交互に配されている。

昭和一四年（一九三九）、隠岐に配流された後鳥羽上皇を偲び、没後七〇〇年に際して上皇を主祭神とする隠岐神社が創建された。斉貴の子孫、松平直亮《なおあき》伯爵により、同社の創建にあたって本作が奉納された。

（濱田）

25．中啓《ちゅうけい》　桜に飛鳥　一握
撫子に桐　一握
薄に虫籠　一握

紙本着色
橋長三一・九　三二・二　三一・九
江戸時代　一九世紀
出雲市　北島家　孝明天皇所用

26．中啓　双鶴に波　一握
鶯梅に山波　一握

紙本着色
橋長各三三・六
江戸時代　一九世紀
出雲市　北島家　仁孝天皇所用

27．楼閣山水螺鈿箔絵印籠《ろうかくさんすいらでんはくえいんろう》　附、親子犬根付　一合

漆塗　蒔絵　螺鈿
印籠　長一〇・五　巾五・八　厚二・八
根付　高三・八　長五・〇
江戸時代　一九世紀
出雲市　北島家　孝明天皇所用

25・27は孝明天皇所用、26は孝明天皇の父君仁孝天皇所用。親子犬の象牙の根付を伴う27の印籠は、黒漆地に微細な螺鈿《らでん》を象眼《ぞうがん》した繊細な作品である。25は次の添状を伴う。

録

孝明天皇御手沢御中啓

右、此品、明治二年三月上京中、甘露寺宰相勝長殿より預帰国餞別、忝致受納畢

北島神健彦出雲宿称脩孝

明治二年巳四月十一日

すなわち明治二年（一八六九）、北島脩孝《ながのり》が父の第七五代国造北島全孝《たけのり》とともに明治天皇へ拝謁のため赴き、帰国の際に甘露寺勝長より餞別に受けたという。全孝のもとには甘露寺勝長の祖父国長の娘が嫁いでいる。

（岡）

28．十六葵紋総網代挟箱《じゅうろくあおいもんそうあじろはさみばこ》　二領

漆塗　蒔絵
各高三四・五　巾七五・九　奥行四五・八
江戸時代　一九世紀
東京国立博物館

30．十六葵紋総網代挟箱　一領

漆塗　蒔絵
四六・〇×七六・〇×三五・五
江戸時代　一七世紀
松江市　松江神社

挟箱は、基本的に着替用の衣服を納めた箱で、棒を通して背負い担ぐ形態になっている。これに対して前後に同一の箱一対の間に棒を通したものを両掛挟箱、略して両掛という。挟箱は特に藩主の駕籠の前方で担ぐものを御先箱、後方で担ぐものを御跡箱と称した。「松平斉貴上京行列図」と照合すると、先箱は六領、後箱は五領みえる。東京国立博物館蔵の挟箱には「御先二」「御跡二」の墨書が残る。

松江藩儒桃節山《ももせつざん》の『藩祖御事蹟附録』に「斯《か》くて又越前家の内にても、我が藩は別段の事にて、御先箱は公、将軍家より賜はりしものなり、その故に網代組《あじろくみ》の御箱に、金御紋の数十六にて制作全く将軍家に同じ、其外の方々は御三家、越前家皆御紋の数十二なり」とある。

（岡）

29. 金唐革床几《きんからかわしょうぎ》　一脚

皮革　着彩
三八・〇×三五・五×三六・〇
江戸時代　一九世紀
松江市　松江神社

床几は腰をおろす部分に布ないし革を張った折り畳み式の簡易な椅子で、野外では陣中の腰掛けなどとして用いられた。

金唐革は、なめした革に打ち出しを加えて凹凸の文様を出し、金銀をはじめ多彩色を施したもの。西欧で壁紙として用いられていたが、一七世紀にオランダから引き剥がした中古の金唐革がもたらされると珍重され、煙草入をはじめとする数々の細工品に加工された。時代が降って唐風の金唐革が国産されるようになり、近代には革の代用として和紙を用いた金唐革紙が開発されている。

本作品は龍に鳳凰を打ち出したもので、藩主が用いるに相応しい風格を持つ。（岡）

31. 道程記　一折

田中又六
紙本淡彩
二一・八×一一五一・〇
江戸時代　一九世紀
松江市

公的な場・儀礼において、天皇、将軍、藩主などに直接対面することを「御目見」といった。このような最上位に位置する貴人に対面することは、一定以上の地位にある者、側近く仕える者以外は基本的に公的の場では許されなかった。そのため特に天皇や将軍が登場する絵画では、御簾や日傘等でその顔を隠した形で描かれることが多かった。

通常御目見は、正月などに、御目見を許された者がそれぞれの決められた日に指定された座敷、広間に出向き、格式に応じた席順に着座して行われた。また藩主が領地に帰国する際、また領内を順見する際にも、沿道の特定の場所で、藩士とともに御目見を許された者が出迎える仕来りがあった。

本図は松江藩境の吉佐《きさ》から松江城三ノ丸御殿表門までの道筋を描き、及び沿道の応接警護役人、御目見を許された松江町人・郡村役人・寺社の住職神主らの場所を付箋で貼り付けてある。文政一〇年（一八二七）、前年に元服し、松平斉貴が初めて国入りするにあたって制作されたといい伝えられている。諸準備、確認のために作成されたのだろう。

本図を伝えていた田中家は意宇郡東津田村（松江市東津田町）にあり、同家の当主は代々又六を称してきた。意宇郡内の村役人、郡役人を勤め、参勤交代の際は山陰道沿いの屋敷前で御目見を許されたという。（岡）

32. 関札《せきふだ》　松平出羽守宿　一点

木製墨書
一〇一・四×二八・五　厚さ二・七
江戸時代　宝暦七年（一七五七）
古代出雲歴史博物館　周藤國實コレクション

参勤交代等で本陣や脇本陣を使用する場合、他の大名等と重複しないよう宿泊・休憩の手配を担当する藩士は先回りして押さえておく必要があった。本陣を押さえると、藩主の名と宿泊日を記した木札を本陣に渡し、屋敷先に掲示させた。この木札を「関札」という。緊急の手配の際、変更があった際には木札でなく紙を用いることもしばしばあった。

本資料は一〇月一二日、伯耆国二部宿（鳥取県伯耆町二部）で松江藩主が休息を取る際に渡した関札。裏面に宝暦七年（一七五七）の年紀があり、六代藩主松平宗衍《むねのぶ》が七年ぶりに国入りする際のものであることが判明する。通常は日付のみ記してあり年代の特定が困難なものが多いため貴重である。

もと東出雲町（松江市東出雲町）の文化財保護委員をつとめ、出雲関係の資料の蒐集家としても知られていた故周藤國實氏のコレクションの一つである。

（岡）

33. 松平不昧《ふまい》像　一幅

紙本着色
五四・五×七一・三
原図　江戸時代（一九世紀）
模写　大正五年（一九一六）頃
古代出雲歴史博物館

晩年の不昧像。右側の賛は、大徳寺孤篷庵の大鼎宗允《だいていそういん》が認めた不昧の自賛の語「這箇圓相、多論圓方、不方不圓、松平治郷（この圓相、多《さわ》に圓なるか方なるか《しかく》を論ず、圓ならず方ならず、松平治郷なり）」。この偈頌は晩年の不昧が「我等が像となし」自画像と見なして自らの廟と定めた孤篷庵の寮舎・大円庵に没後納めるように命じた「秘蔵の雪舟の円相の軸」に自ら箱書きした偈頌である。もう一つの賛「喫茶喫飯六十年、不味一言一不伝、雲州国裏留難住、倒跨須弥上梵天」を認めた老叟漢三は、彦根井伊家の菩提寺・清涼寺から長崎皓台寺《こうだいじ》十八世住持となった曹洞宗の禅僧・漢三道《かんざんどう》一《いつ》という。なお高橋梅園『松平不昧伝』によれば、原図はもと藩士高橋長徳《ながのり》が所持しており、文久三年（一八六三）に献上、間もなく月照寺に納められたという。

本図はこの月照院の原図を模写したもので、同じく島根県立美術館にも収蔵されている。模写制作の時期は明らかでないが、大正四年（一九一五）に従三位を追贈され、また没後百周年の記念行事が松江において盛大に行われていることから、この頃に制作された可能性が高い。
（岡）

重要文化財
34．虚堂智愚《きどうちぐ》尺牘《せきとく》　悟翁禅師《ごおうぜんじ》あて　一幅

紙本墨書
三〇・〇×五〇・九
中国・南宋時代　一三世紀
東京国立博物館　松江松平家旧蔵

虚堂智愚（一一八五〜一二六九）は中国・南宋の臨済宗の名僧。諸名刹に歴任し、そこから多くの法嗣が輩出した。日本から入宋した南浦《なんぽ》紹明《じょうみょう》（一二三五〜一三〇八）もその一人で、虚堂の法脈を受けた臨済禅を日本に伝え、のちに大徳寺・妙心寺で栄えた。虚堂の墨跡は鎌倉時代から愛好されたが、茶の湯が大徳寺派の禅と密接な関係をもって発展したことから、茶人の間で特に珍重された。

本作は虚堂が悟翁禅師に宛てた尺牘（手紙のこと）だが、この人物の詳細は不明だという。虚堂の「難中」（宝祐年間〔一二五三〜五八〕、讒言にあってその後赦免された事件のこととされる）にあって、飲食をともにして慰問してくれたことに感謝するという内容。松平不昧が収集した茶道具の目録『雲州蔵帳』に本作の存在が記録されている。
（濱田）

35．松平不昧書状　龍橋《りゅうきょう》（朽木《くつき》昌綱《まさつな》）あて　一巻

紙本墨書
一六・六×一三三・一
江戸時代　一九世紀
古代出雲歴史博物館

「狩野探幽が所蔵した由緒を持つ大名物の「棚村肩《たなむらかた》付《つき》」（別名「都かへり」）が売りに出た。一国の城主が家宝とすべきは大名物。是非購入しなさい。希望売価は千両だが最終価格は八、九百両だろう。直接お話申し上げたい」。

朽木昌綱は福知山藩九代藩主。正室は不昧の妹・幾《いく》百《お》姫。姫路藩主酒井忠以《ただざね》とともに不昧に茶道の指導を受ける親しい間柄だった。たまたま売却希望で大名物の棚村肩付（現在は野村美術館所蔵）を持ち込んできた商人があった。早速昌綱に購入を勧めようと思ったが来なかった。そこで差し出したのがこの手紙である。不昧のワクワク感と、じれったさが伝わってくる面白い書状である。「これを取り逃がしては、今後大名物は出ないだろう」。肩付は結局不昧が購入した。

《釈文》

御不快候哉、扨々残念ニ御座候、近夕御出可被下候、いつニてもよろしく、九日は客来御座候、尤松若尋ニて御座候
一、探幽所持の棚村肩付、都かへりと俗ニ申候唐物ニて御座候へとも、御求被成間敷哉、唐物は分ニ過タリトハ兼而被仰聞候へとも、探幽さへ昔ハ所持仕候故、一城之主御所持被成候て過分トハ申さるへからす、形松屋の小振りなるものニて出来よろしく、中々久我肩付、鍋屋之類ニてハ無之候、此節払度由ニ候、昨日御出之節可掛御目ト存候へとも御出無之、今夕か明朝ハ帰し申候、何卒一ツハ鑑板ニ名物ニて候、御所持可被成候、家の宝となる物は中興ものニてハなり不申候、中興ものハ已下之衆より町人百姓之類ハ家宝と可申、入道之御宝ニハ不足ニ候、是を取にかしてハ又大名物出候もの払地、無之と存候間、先存念申上候、代金元利七百両之由、何卒千両求呉候様ニとの事、訳御座候間、随分八九百ニ成り可申と被存候、御直談ニ猶可申上候へとも、先ツ思召伺候事

六月六日

龍橋入道公　　不昧

用事

（岡）

36−1．桑十牛《くわじゅうぎゅう》図《ず》透刀掛《すかしかたなかけ》　一基
36−2．桑西行《くわさいぎょう》富士見《ふじみ》図《ず》透刀掛《すかしかたなかけ》　一基

小林如泥
桑材透彫
36−1　二七・四×三五・〇×一七・六
36−2　二六・四×三四・九×一七・一
江戸時代　一八〜一九世紀
36−1　古代出雲歴史博物館　36−2　松江市

37．袖障子《そでしょうじ》　一面

小林如泥
桑材透彫
一四八・七×五九・六×五・〇
江戸時代　一八〜一九世紀
東京国立博物館　松江松平家旧蔵

小林如泥《じょでい》（一七五三〜一八一三）は松江藩で活躍した木工の名匠。七代藩主松平治郷（不味）の啓発により、不味直属の細工人（指物師）として、曲物、飾り棚、建築調度、彫物などを中心に優れた作品を多く残した。

36の二作品は、折りたたみ式の刀掛。桑材の骨組みに欅《けやき》の腰板を備え、そこへ十牛図や西行富士見図が細やかに透かし彫りされる。十牛図とは禅の教えで、修行のはじめから悟りまでの過程を牧者と牛に託して十の絵で示したもの。本作にはその一場面が表現されている。西行富士見図（富士見西行図）は西行法師が旅包みをわきに置いて富士山を眺めるさまを表す、広く好まれた画題。本作では向かって左に富士山が、右にそれを見上げる西行の姿が表される。

晩年の不昧は江戸大崎の下屋敷に隠居し、そこに造った大茶苑で茶三昧の日々を過ごした。37は、その茶室の一つ「眠雲亭」の袖障子（間仕切り）。桐材に上から陽、陰、陽の麻の葉文が透かし彫りで施され、如泥の最高傑作とも称される。こうした繊細な透かし彫りが、どのような工具や技法によって施されたのか、具体的には未だに不明だという。（濱田）

38．蔦細道《つたほそみち》図　二幅

土井宗鋪（刈谷藩主土井利徳）　松平不昧賛
紙本淡彩
各七六・八×三六・三
江戸時代　一九世紀
東京国立博物館　松江松平家旧蔵

二幅の内一幅には、従者を伴い山辺の細道をたどる貴公子と道の向かいから降りつつある法師を描き、もう一幅には在原業平の「するかなるうつの山辺のうつゝにも夢にも人にあはぬなりけり」の歌を添える。すなわち『伊勢物語』第九段、東下りの内、駿河国の場面を踏まえる。土井利徳《としのり》は仙台藩六代伊達宗村《むねむら》の三男で、下総古河藩の支藩、三河刈谷藩主土井利信《としのぶ》の養子に入り家督を継ぐ。文化二年（一八〇五）に宗鋪《そうほ》を号し、同一〇年（一八一三）に没しているのでこの間の合作である。不昧の正室は宗村の娘で利徳の妹にあたるが、両者はまた茶道の上でも親しい間柄にあった。

不昧と交友があった大名には、ほかに茶道の門人でもある姫路藩主酒井忠以《ただざね》（宗雅）などが知られる。（岡）

39．出雲国大社図　一幅

紙本木版着色
一二九・一×五九・六
江戸時代　一九世紀
古代出雲歴史博物館

出雲大社の参道から境内を俯瞰的に捉え、左右に境外摂社を描き添える。背後の八雲山には雲繝《うんげん》の霊雲がたなびく。出雲大社を描いたものとしては最もよくみられる構図である。

文化七年（一八一〇）参詣に訪れた八代藩主斉恒《なりつね》は、まず銅鳥居前で上官らの出迎えを受けた後に一旦門前町の本陣に入り宿泊。翌日装束を改めて境内に入り、本殿に昇殿、両国造の祓を受けた後に御神酒を二献受け、伝来の神宝を拝見した。退下後、観祭楼では赤糸威肩白鎧（重文）も観覧している。この後装束を略装に改め、拝殿で奏楽が行われるなか、会所では三宝に菓子を載せ、四季耕作図屏風を立て回して休息所とし、境内を見物した後に退出した（佐草茂清『役用日記』）。

本図は大型の木版摺りに丁寧細密に手彩色を加えた豪華版で、もと石見国安濃郡志学村の富豪・梶谷家に伝来した。梶谷家は金融事業を手広く展開し、出雲大社が財政的に窮迫した一八世紀末に幾度も融資して支えている。本図はその功績に対する礼として特注制作し、同家に贈られたものと考えられる。（岡）

40．万《よろず》日記　六　一冊

紙本墨書
二六・三×一八・五
江戸時代　一九世紀
手銭記念館

手銭《てぜん》家は一七世紀後半に白枝村（出雲市白枝町）から大社に進出した商家で、藤間《とうま》、大村、柳原家とともに大社の門前町である杵築六ヶ村を束ねる大年寄を勤める家柄で、藩主をはじめとする上級武士層の御用宿（本陣）もしばしば勤めた。海岸部の砂防のための松林の植林を行うなど地域への貢献も行っている。また両国造家をはじめ社家とも文雅を通じた交流があり、連歌、和歌、俳諧に関わる資料も多数伝える。

本史料は、手銭家五代官三郎が後世のための備忘として年々に起きた事項の記録集。この日記は他人に見せる性質のものでなかったため、種々の裏事情も伝えている興味深い記録である。

寛政七年（一七九五）一〇月、松平治郷（不昧）が鷹狩りの次いでに大社の浜まで来ることになり、手銭家には昼本陣（昼食時の休憩所）を命じられた。当主の官三郎は急いで屋敷中の修繕を命じるとともに、殿様の滞在先の今市（出雲市今市町）に出向いて役人数十人に御礼として鰹節と砂糖を配り、事前の用意について尋ねたところ、台所方の佐藤勝助から食事は百人前、殿様への膳椀は白木《しらき》、朱塗碗、瀬戸物でよいとの回答を得た。一方献上用の生菓子は松江の森脇屋から取り寄せ、御坊主の早見休古にも座敷の間取り等手直しを受け、また「当家所持之七ツ貝」に干菓子を入れて差し出していいかと佐藤に尋ねたところ、塩梅《あんばい》方の樋野武七と相談の上違棚の下に飾るよう指示を受けた。

さて殿様が大社に来たものの、風雨のため海岸に出るのを中止、急遽参拝することとなり、此三郎《このさぶろう》（手錢家四代）に案内が命じられた。その後治郷は機嫌よく平田（出雲市平田町）へ出立した。この後官三郎は藩士数十人の宿に改めて御礼に出向き、治郷の松江帰城後にも出向いて、肴、砂糖、金封を贈った。

翌年二月、藩より御褒美として銀一枚を拝領。七月には藩より郡役所へ昼本陣を勤めた際の費用を書き出せと命じられ、一二四貫六百四二文と申告したところ、同じく宿を勤めた他家からそれでは釣り合わないから二五〇貫文にして再提出するよう言われ、その通りにした、とある。（岡）

41. 秋草《あきくさ》蒔絵《まきえ》文箱《ふばこ》　一合

下絵：狩野晴川院　作：原羊遊斎
漆塗　蒔絵
長二一・六　幅六・五　高三・九
江戸時代　文化七年（一八一〇）
手錢記念館

秋草を金蒔絵とし、中は梨子地《なしじ》とする。派手さはなく、落ち着いた風情の作品である。下絵を描いた狩野伊川院（栄信《ながのぶ》）は幕府の奥絵師木挽町狩野八代。制作を手がけた原羊遊斎《ようゆうさい》（更山）は江戸の蒔絵師で、不昧と交遊のあった酒井抱一（酒井忠以の弟）率いる江戸琳派と提携して数多くの作品を遺した。いわば江戸における茶と文芸、美術工芸で結ばれた交遊関係のなかで不昧はスポンサー、プロデューサー的役割を果たし、産み出された作品の一つである。

羊遊斎への作品発注は不昧のみならず、正室、嫡男（斉恒。号月潭《げったん》）、四女の幾千姫（玉映）ら家族からも発注を受けていたことが、出光美術館ほか日米の美術館に分蔵される蒔絵の下絵帖で知られている。不昧はまた松江藩お抱え塗師・小島清兵衛（五代）を羊遊斎のもとに稽古に出して研鑽させ、お好みの作品を造らせている。（岡）

42-1. 冠卓《かんむりしょく》　一基
42-2. 唐金唐冠香炉《からかねとうかむりこうろ》　一合
42-3. 唐物彫漆丸香合《からものちょうしつまるこうごう》　一合
42-4. 三ツ羽　鷹羽《たかのは》　一点

42-1　漆塗　蒔絵　高四一・五　幅四五・六　奥行二七・二
42-2　銅鋳造　高一三・〇　幅二三・五　奥行一四・〇
42-3　漆塗　径九・九　高三・三
42-4　鷹羽製　長一三・〇　幅三・七
江戸時代　一九世紀
八雲本陣記念財団

45. 楼閣山水図　二幅

伝　牧谿
絹本着色
各一二〇・〇×五一・二
江戸時代
八雲本陣記念財団

藩主など貴人が公的に豪農豪商らの邸宅へ訪れる時は、その家では貴人を迎えるに相応しいしつらえで迎えなければならず、またそれに相応しい構えをすることを許された。通常の入口とは別に御成門や式台を設けるだけでなく、貴人が座する書院の床には大和絵ではなく、唐絵を掛けなくてはならなかった。

42・45は、山陰道の宿場の一つ宍道宿の豪商で、代々本陣を勤めた木幡《こわた》家伝来の「御成荘《おなりかざり》」。床には伝牧谿の山水、手前には四隅に紫房を下げた梨子地に夕顔と扇を描いた冠卓、その上には絵に対応するように唐冠を象《かたど》る香炉、唐物の香合に三ツ羽（羽を三枚重ねた羽箒）を添える。こうした豪家の主人は自ずから『君台観左右帳記』や『御飾書』などを読み学ぶことを必要とされたのである。（岡）

43. 双鶴図　一幅

円山応挙
絹本着色
一一五・一×五四・五
江戸時代　明和二年（一七六五）
八雲本陣記念財団

円山応挙（一七三三〜一七九五）は江戸中期に京都で活躍した画家。はじめ狩野派の伝統的な画法を学ぶが、次第に中国の写生画や西洋の遠近法を修得し、それらを融合した新様式を確立、一大画派を形成した。

本作は二羽の丹頂鶴を主題とし、背景に岩や羊歯《しだ》を添える。首をひねって空に向かって鳴いたり、地面をついばんだりする様子が的確にあらわされ、羽根は繊細に描き込んで質感を表現している。明和乙酉（二年〔一七六五〕）の落款があるので、応挙は三十三歳、画業においては比較的初期の作だとわかるが、写実的な画風は既に確立されていると評されている。

八雲本陣（木幡家住宅）は松江市宍道町に所在。歴代松江藩主が国内巡視をする際の本陣宿となったためこの名がある。本作は、遅くとも幕末期以前には同所に伝わっていたとされる。（濱田）

44. 源平合戦図屏風　六曲一双

紙本金地着色
各一五六・〇×三七三・八
江戸時代　一七世紀
八雲本陣記念財団

平安時代の終わりに繰り広げられた、源氏と平氏の戦いを画題としたもの。右隻は平家の福原の陣屋を中心に一ノ谷の合戦を描く。画面右上には断崖絶壁から駆け下りようとする義経の「逆落とし」、左上には船へ逃れようとする平敦盛を呼び止める熊谷直実といった、『平家物語』などの名場面が描かれる。左隻は、画面上を岸で斜めに大きく区切り、海上の平氏とそれを撃つ源氏の「屋島の戦い」を描く。那須与一が海に馬を乗り入れて、平氏側の船の先に立てられた扇の的を射る有名な場面は二・三扇に描かれる。こうした源平合戦図は室町時代から江戸時代に至るまで多く制作され、一ノ谷と屋島の合戦を組み合わせるのはその典型的なものである。

本作は松江藩主が国内巡視の折に宿とした本陣において、藩主を迎えるための御成調度として使用されたものの一つ。松平不昧が大切に取り置くように言ったというエピソードから、「お留め屛風」と呼び伝えられている。

（濱田）

46．松蔭《しょういん》観潮《かんちょう》・夏雲《かうん》霊峰《れいほう》図屛風　六曲一双

池　大雅
紙本墨画淡彩
各一七七・三×三六七・八
江戸時代　一八世紀
八雲本陣記念財団

池大雅（一七二三〜一七七六）は江戸中期の京都の画家。のびやかな筆致や明るく澄んだ色彩、大らかな空間構成によって詩情豊かな独自の画風を確立、日本風の文人画を大成した。日本各地を遊歴して多彩な作品を残したことも知られる。

本作の右隻に描かれているのは、大きな松の木が並ぶ浜辺。画面左側から波が打ち寄せている。中央には、冠を被った一人の貴人と、町人らしき人物二人がたたずむ。貴人は扇で空のほうを指しており、そこで左隻に目を遣ると、雲に装われた大きな富士山がそびえている。

松や山肌にみられる緩急ある筆致や墨の濃淡の変化などに、大雅晩年の闊達な作風があらわれている。右隻に記された詩句は、富士山を讃える大雅自作の詩の一節。左隻の落款「霞樵《かしょう》」は大雅の別号。文政一二年（一八二九）と天保八年（一八三七）、本陣を勤めていた木幡家の藩主の間に飾られたという。

（濱田）

47．帝鑑図《ていかんず》屛風　二曲一隻

紙本着色
一七二・五×五二・〇
江戸時代　一七世紀
手錢記念館

明代一六世紀後半に、張居正《ちょうきょせい》と呂調陽《ろちょうよう》が帝王教育のために編んだ、歴史上の諸帝王の善行八一例と悪行三六例を収録する絵入故実集『帝鑑図説』を基にして描いた図。『帝鑑図説』は一六世紀初頭には日本にも伝えられ、聖賢図とともに、為政者の住まう御殿などの襖絵や屛風絵として盛んに描かれた。本来的には観賞用というよりは、為政者の心構えを戒める、もしくは為政者を迎える席の調度品として制作されたものであるが、唐風の建物や装束などエキゾチックさを賞翫する意識もあったかもしれない。

本図は二曲一隻の押絵貼《おしえばり》で、当初からこの形態であったのか、襖絵や屛風絵としてあったものを切り取り、仕立て直したのか明らかではない。

（岡）

第三章　出雲国造の行列

48．杵築大社遷宮入目《いりめ》注文《ちゅうもん》案　一点

紙本墨書
二六・二×二三一・七
室町時代　享禄四年（一五三一）
出雲市　北島家

49．杵築大社遷宮入目注文　一点

紙本墨書
二三・七×二三六・一
室町時代　天文一八年（一五四九）
出雲市　北島家

51．鰐淵寺《がくえんじ》豪円《ごうえん》勘文《かんもん》　一点

紙本墨書
三五・八×四五・八
安土桃山時代　天正八年（一五八〇）
出雲市　北島家

50．杵築大社入目算用日記案　一点

紙本墨書
二四・二×二九〇・三
室町時代　天文二四年（一五五五）
出雲市　北島家

52．北島方上官《じょうがん》等連署起請文　一点

紙本墨書
三三・三×四九・七
安土桃山時代　文禄二年（一五九三）
出雲市　北島家

53．尼子義久袖判《そではん》大庭《おおば》内抜《ないぬけ》目《め》書立《かきたて》案　一点

紙本墨書
二六・二×一三六・五
室町時代　永禄六年（一五六三）
出雲市　北島家

コラム「新出の中世北島家古文書」参照。

54. 大社御遷宮目録　一冊

紙本墨書
三〇・二×二二・三
江戸時代　慶長一三年（一六〇八）
出雲市　北島家

新出文書。慶長の遷宮を翌年に控えた一〇月二日、北島国造附き上官佐草左衛門尉（吉清《よしきよ》）が長谷川宗右衛門尉、牧安左衛門尉、大社本願宛に提出した慶長度遷宮入目（遷宮に際しての神宝調度ほか入用品等）の一覧の写しで、本史料とは別に同年六月二三日付の案文（「出雲大社御遷宮目録」）も現存する。

慶長度の遷宮は豊臣秀頼《ひでより》を願主とし、当時の松江藩主忠晴の祖父堀尾吉晴《よしはる》が幼少の藩主に代わり大社造営奉行を勤めた（豊臣方の造営奉行は片桐且元）。長谷川と牧は藩の寺社奉行ないしは現地の普請奉行であろう。表題には「大社本願へ渡引付《ひきつけ》也」とある。「引付」とは、後日のために先例となる事例を書き留め、証拠となる資料をまとめたものをいう。すなわち正本は上記三者宛に出され、最終的に藩から豊臣家に差し出されたのに対して、本史料のほうは今後の遷宮時における先例として書写された控えであろう。本願は、寛文二年（一六六二）に大社から追放されるまで、造営から修繕にいたる資金調達、支出等財務関係を一手に所管していた。

慶長度造営の建造物は寛文度の造営において一新されたため現存しないが、北島家には本史料とは別に本殿造営の資材、経費を詳細に書き出した仕様書にあたる「杵築大社御本社造営算用帳」や寛文造営前の境内の社殿配置を図示した「出雲大社只今之宮立之図」も所蔵されており、慶長造営の様相を詳細に検証することを可能にしている。（岡）

55. 寛文　御神前御宝物日記　一冊

竹下千之丞
紙本墨書
二六・五×一九・〇
江戸時代　寛文三年（一六六三）
出雲市　北島家

新出文書。寛文の本殿造替が開始される直前、慶長度造営の本殿に納められていた宝物類を書き出した目録。北島国造家附き上官佐草宮内《くない》（自清《よりきよ》）、千家国造家附き上官長谷右兵衛、両家の中間の立場にあった別《べっ》火《か》善十郎（祇吉《すみよし》）の三人が連署し、所用あり持ち出す時は相互に断りを入れることを申し合わせている。神前にあった宝物は、①「光忠ノ太刀」、「東山殿（足利義教）寄進御鎧甲」（いずれも重文）など、②書物箱、③経巻、曼荼羅類の三種に大別される。①では前述のほかに「上ノ御手箱」（国宝秋野鹿蒔絵手箱）ほか手箱が八合などの記載が目をひく。②では松江松平氏からの社領打渡状、堀尾山城守殿壁書（杵築法度）、大久保石見守殿（長安）慶長御造営目録（慶長一〇年一一月二五日付下知状カ）などの正本を納めていた。③には唐本華厳経、紺紙金泥《きんでい》の金光明経、同法華経、金泥大般若（六百巻の内四巻欠）、「たきにてん（荼吉尼天）」等があり、その内軸物八幅は「箱ニ入、西（千家国造家）へ御預り」となった旨の記述がある。神仏習合時代に集積した仏教関係文物の内訳が知られる貴重な目録である。（岡）

56. 杵築大社御内殿覚《おぼえ》　一冊

紙本墨書
二六・二×一八・八
江戸時代　一八世紀
出雲市　北島家

新出文書。比較的平面規模のある大社造の本殿では、本殿の奥に御神体が鎮座する「御内殿《ごないでん》」と呼ばれる宮が設けられていることが多い。出雲大社においても「金輪御造営差図《かなわのごぞうえいさしず》」に御内殿の平面図が図示されており、その当時の段階では厳島神社の玉殿《ぎょくでん》と同じく流造の建築であったろうと建築史の三浦正幸は考証している。

さて本史料は、筆体、紙質からみて、現在の本殿が造営された延享元年（一七四四）遷宮より前の時点に、造営遷宮の準備、神宝調度類の新調のための参考データとして、御内殿の調度類を計測した資料と考えられる。

例えば「御簾」の項目では、高さ三尺四寸、横三尺五寸二歩、縁の裂は赤地金入錦、房（大二つ、小三つ。房の上に亀甲剣花菱、桐之頭紋金鍍金金具）など詳細な情報を記録する。実はこの数値、仕様と全く同じ御簾が北島家に伝来する。恐らく延享造営に伴い古本殿にあった御簾は、後代の遷宮時に調度品を新調する際の参考として保存され、今に伝えられたのだろう。（岡）

57. 延喜式（出雲藩版）　五〇冊のうち二冊

紙本木版
各二五・五×一八・五
江戸時代　文政一一年（一八二八）
古代出雲歴史博物館

『延喜式』は、延長五年（九二七）に完成した朝廷における諸政務の施行細則を記した書で、約三五〇〇もの条文がおおむね二官八省の順に並べられている。

そのうち臨時の祭事を記した巻三に、出雲国造神賀詞奏上の次第がみえる。朝廷で新たに任命された国造は、一年の潔斎の後、出雲国司に率いられ、祝《はふり》・神部《かんとも》・郡司・（郡司の）子弟らとともに上京し、玉や太刀・鏡、馬や鵠《くぐい》（白鳥）などを献上した後、天皇の前で神賀詞を奏上した。さらにまた一年の潔斎を経て、再度上京し奏上することが定められている。

祝詞を収めた巻八には神賀詞の文言が記されている。その冒頭には「熊野大神《くまののおおかみ》・大穴持命《おおあなもちのみこと》をはじめ出雲国の一八六社の神々を厳粛に奉祭している私出雲国造が神賀詞を奏上します」とある。奏上の際はともに上京した祝（式内社一八六社の奉祭者）も参列していたと想定されることから、神賀詞奏上は国造だけでなく、出雲国に坐《いま》すすべての神々（の奉祭者）が天皇の御世を寿《ことほ》ぐ構造になっていたとも考えられる。

なお、本品は松江藩主松平斉恒や藩士藍川慎らが校訂し文政一一年（一八二八）に出版されたもので、雲州本『延喜式』とも称されている。

（吉松）

58. 続《しょく》日本紀　二〇冊のうち一冊

紙本木版
二七・四×一九・六
江戸時代　明暦三年（一六五七）
古代出雲歴史博物館

『続日本紀』は『日本書紀』につづく全四〇巻からなる正史で、延暦一六年（七九七）に完成した。文武天皇から桓武天皇までの歴史を編年体で記す。本冊含めた二〇冊の『続日本紀』は、明暦三年（一六五七）に立野春節が版行した最初の版本である。

本冊は巻七・巻八を収載し、巻七・霊亀二年（七一六）二月丁巳（一〇日）条に、出雲国造出雲臣果安《いずものおみはたやす》の神賀詞奏上の記事がみえる。本条は神賀詞奏上の記事としては史料上の初見であるが、これ以前から行われていたとする説もある。

本条では、奏上を終えた「果安より祝部《はふり》に至るまで一百一十餘人」が位階の昇叙と禄の賜与にあずかっている。祝部は出雲国の在神祇官社（のちの式内社）の奉祭者（神職）と考えられ、出雲国造とともに行列を成し上京したと想定されている。『延喜式』では出雲国司が国造・祝・神部・郡司・郡司子弟らを率いて上京するとされる（〔解説57〕参照）。

なお出雲臣広島の奏上時には一九四人（『続日本紀』神亀三年〔七二六〕二月辛亥〔二日〕条）、出雲臣益方の奏上時には一五九人（『同』神護景雲二年〔七六八〕二月庚辰〔五日〕条）の祝部が叙位・賜禄されているが、その他大部分の神賀詞奏上記事には上京人数が記されていない（コラム「出雲国造神賀詞奏上と行列」参照）。

（吉松）

59. 出雲國造神寿後釈《いずものくにのみやつこかんよごとこうしゃく》　上巻　二冊

本居宣長
紙本木版
二六・七×一八・六
江戸時代　寛政八年（一七九六）
古代出雲歴史博物館

天明六年（一七八六）遠江の国学者内山真龍《またつ》は『出雲国風土記』の実地踏査のため出雲を訪れた。また寛政三年（一七九一）には本居宣長が『古事記伝』第一帙（第一〜五巻）を大社に奉納した。翌四年、七六代国造千家俊秀《としひで》の弟俊信《としざね》と清足《きよたり》は真龍宅を訪れ、『出雲国風土記』と『出雲国造神賀詞』の出版について相談、やがて俊信は本居宣長に入門を果たす。翌年真龍は『出雲風土記解』を奉納した。これは約百年前に松江藩の郡奉行岸崎左久次《さくじ》が著した『出雲風土記抄』以来の本格的な研究書である。出雲大社における古学（国学）の導入はこの年に始まる。

本書は、「出雲国造神賀詞」に対する賀茂真淵の注釈を掲げ、更に本居宣長みずからの説をその後ろに加える形式を取る（後釈）。宣長は『古事記』のみならず『出雲国風土記』『出雲国造神賀詞』を重視していたことは晩年の随筆『うひ山踏』でも知られる。

古代の出雲国造は風土記の編纂総責任者であり、神賀詞の上奏者である。真龍らとの邂逅は、出雲国造家にとって、その根源的存在意義と使命を明らかにする唯一無二の手がかりとして改めて意識された契機になったのだろう。また宣長においても連綿として今に続く出雲国造家に強く期待するところがあったから図らずも両者の希望は合致することとなった。本書の原稿をを既に二月には書き上げていた宣長は、俊秀の序文を俊信に依頼し、同八年（一七九六）出版された。この頃から古学は出雲大社の社家において共通の学問として次第に研鑽されていくことになったのである。

（岡）

60. 神賀詞《かんよごと》　一点

北島全孝　奏
紙本墨書
三二・八×二一九・〇
明治二年（一八六九）
出雲市　北島家

61. 出雲国造神賀詞奏上次第図案　一点

紙本墨書
六三・八×一一三・四
明治三年（一八七〇）
出雲市　北島家

いずれも新出文書。全孝の二月付の神賀詞はルビを振る本史料のほかに白文のものが現存する。神賀詞奏上次第図案のほうは、延喜式等古典を参考として紫宸殿における百官列座のもとでの神賀詞奏上を再興した場合の考証図。

慶応四年（一八六八）五月、新政府は諸国の勅祭神社画定の一環として神祇事務局の亀井茲監《これみ》に出雲大社の古典取調を命じた。また大社側は幕末に幕府から承認を得ていた遷宮事業を新政府から改めて許諾と助成を得る懸案を抱えていた。同年暮、神祇官から両国造に対し上京参内が命じられ、翌二年三月四日、国造北島全孝《たけのり》と嫡子脩孝《ながのり》、一月に前国造尊孫《たかひこ》に代わり新国造となった千家尊澄《たかずみ》と嫡子尊福《たかとみ》は、明治天皇に拝謁した。

問題はこの時出雲国造により神賀詞奏上が行われたかどうかであるが明らかではない。ただし明治天皇は、戦国以来廃絶していた祈念祭を前月二六日から二八日にかけて斎行したばかり、前日の三日にも上巳の賀が行われているので、もし仮に実現していたとすれば次第を略した奏上のみが行われたと考えるべきだろう。神賀詞奏上次第図案は、同奏上が出雲国造家において国造の存在意義を象徴する儀式として意識され、千余年をへて儀礼の復古が果たされることが宿願であったことを物語る重要な史料であるといえよう。なお同日両国造は従四位下、六日には子息両名も従五位下に叙せられ、同年六月には松江藩に大社遷宮の手伝いが令達されている。

明治維新は神社界を揺るがす大変革の時代だった。単に復古の方針に伴い神仏分離が行われただけでなく、上知令《じょうち》による社領の収公、官幣大社から無格社まで新たな社格の設定、世襲神職を廃止し非神職出身者を神主に任命したり異動を命じることも行われた神職の官員化は全国の神職に混乱を与え、神職を辞せざるを得なくなった者も少なくなかった。やがては教部省、教導職の設置に端を発する神道国教化をめぐる紆余曲折の末、神社独自の布教を禁じる非宗教化など、当初の政府すら想定しえなかった展開をみるに至った。

出雲大社は、明治四年（一八七一）六月に官幣大社に列し、同一〇月には神祇省の上申に基づき制定された「四時祭典定則」により出雲大社式年祭（五ヶ年に一回）が定められ、賀茂祭（四月）などと共に大祭に位置付けられた。また一二月には、両国造は摂津住吉神社（現住吉大社）の世襲宮司であった津守《つもり》氏とともに華族に列せられた。

ところが同六年（一八七三）教導職の養成機関として設立された大教院の神殿に祀られたのは当初造化《ぞうか》三神と天照大神であった。これに対して千家尊福ら諸国の神職らが出雲派を形成して大国主神を合わせ祀るべきと主張したことから全国を巻き込んだ大論争となった。出雲派の主張が優位に立ち、政府内で世論の高まりに対する危機感がつのるなか、最終的に天神地祇・賢所《かしこどころ》（天照大神）・歴代皇霊を祀る宮中三殿の遥拝殿と位置付ける勅許が下され、論争は終結を余儀なくされた。かつ政府は翌一五年に神官教導職分離令を出し、神官は政府の定めた祭典に専念するものとし、布教を行うことを禁じた。

ここにおいて独自の伝統と信仰を育んできた両国造家は、それぞれこれまでの敬神講社を基盤として神道大社派（千家尊福。現出雲大社教）、出雲教会（北島脩孝。現出雲教）を立教することによって、従来の信仰のありかたを守り、布教を維持することとなったのである。　（岡）

62. 神魂《かもす》神社模型　一基

木製
一五七・〇×一二六・〇・五×一四〇　縮尺：1／10
昭和時代　二〇世紀
国立歴史民俗博物館

神魂神社本殿は天正一一年（一五八三）に落雷で焼け同年再建、現存最古の大社造の本殿で国宝指定。床高で、棟持柱がやや外に張り出すなど古様を伝える。現在では確認し難いが、古くは妻壁には白漆喰《しっくい》地に雲龍を描き、柱や長押《なげし》は朱が塗られていたという。中央の心柱《しんばしら》は他の八本の柱より太く、心柱と左側柱の間に仕切りを設けてその奥に御内殿を安置する。本殿は東向きで御内殿は北向きである。内部の柱と長押は朱塗りで、後者には龍も描いてある。天井に九つの雲、壁面には障壁画が描かれる。これは同神社文書「神魂御遷宮支度次第事」に記された仕様にほぼ合致する。

本模型は屋根を栗材の栩葺《とちぶき》とするなど材質に至るまで忠実に再現している。昭和二七年（一九五二）の解体修理に際して制作されたものという。　（岡）

63・懐橘談《かいきつだん》　乾　二冊のうち一冊

黒沢石斎
紙本墨書
二六・九×一九・三
江戸時代　一八世紀
古代出雲歴史博物館

松平直政に藩儒として召し抱えられた黒沢石斎は、伊勢外宮《げくう》長官の檜垣《ひがき》（度会《わたらい》）常晨《つねあき》に仕えていた与村《よむら》氏を出自とする。若くして江戸に出て旗本の黒沢氏の養子となり、林羅山に入門し、師の理当心地《りとうしんち》神道説を受け継ぎ、直政のブレーンとして重用された。

このような経緯から石斎が編集した出雲の私撰地誌的随筆『懐橘談』では、神社及び神事に対して強い関心を示して言及している。

本書の「大庭、附、伊弉冊宮《いざなみ》（神魂神社）」では国造による毎年一一月中の卯の日における新嘗会、代替りにおける火継神事を紹介している。特に「杵築」では火継神事について詳しく論じている。すなわち国造においては天照大神より神火を、天穂日命より神水を受け継ぐが故に、歴代常に始祖の天穂日命と一体であることによって生命は継承されている、故に喪に服すことも悲歎することもなく、「誠に殊勝の神勅遺風也」と高く評価している。（岡）

64・陶磁器類　一括（一〇片）

松江市大庭町黒田畦　字土居・字神主屋敷所在遺跡出土
1須恵器坏　径四・七　高三・五
2土師器坏　径一二・三　高四・三
3同　径八・五・高一・九
4高台付坏　径四・八　高三・五
5在地産灯明受皿　径一一・五　高一・八
6同　径一〇・四　高一・八
7伊万里焼徳利　径九・六　高一六・六
8同折松葉文皿　径一一・四・高三・三
9同染付碗蓋　径一〇・一　高三・一
10信楽焼系小杉碗　長八・六・高六・一
1：飛鳥時代　七世紀
2〜3：鎌倉時代　一三世紀
4：平安鎌倉時代　一二〜一三世紀
5〜6：江戸時代　一九世紀中頃
7：江戸時代　一七世紀中頃
8：江戸時代　一八世紀前半
9：江戸時代　一八世紀中頃
10：江戸時代　一九世紀前半
島根県埋蔵文化財調査センター

65・中国産磁器類等　一括（一五片）

松江市大庭町字土居・元鳥居他出土
1白磁碗　長五・九　底径四・六
2白磁碗　長八・〇　底径六・三
3白磁皿　長八・二　底径三・六
4青白磁合子　長二・五
5白磁碗　長五・七
6青白磁碗　長四・三
7龍泉窯青磁碗　長八・四　底径六・二
8同　長七・二
9同　長六・九
10同　長三・七
11不明（青磁カ）長三・九
12龍泉窯青磁碗　長六・一
13同　長六・四
14同安窯青磁碗　長九・九・底径五・二
15同青磁皿　長六・七
宋〜明代　1〜5：一二世紀
6〜7・9〜10・12・14〜15：一二世紀後半〜一三世紀前半
8：一三世紀
11：不明
13：一六世紀
松江市

神魂神社の北方、明治初期まで北島国造館が存在した地域とその付近にあたる、参道に沿った土居、神主屋敷、元鳥居と呼ばれる小字《こあざ》区域の出土品。この付近は黒田畦《うね》と呼ばれる台地が広がり、北端には山代《やましろ》二子塚古墳、大庭鶏塚古墳など大型古墳が残る。後に杵築大社（出雲大社）が鎮座する杵築へ移住するまで、古代における出雲国造の拠点であったと考えられている。

字神主屋敷跡周辺からは七世紀から幕末にかけての陶磁器類が出土するが、主として近世のものが多い。ただし4の高台付坏は出雲大社境内遺跡からも巨大柱とともに出土している平安後期から鎌倉期にかけて出雲において祭祀に伴って用いられたものであることが注目される。

これに対して明治初期まで北島国造館が存在した字土居付近出土の磁器類は、高屋茂男の分類によれば、宋から明代にかけての白磁、青磁、すなわち平安末期から鎌倉時代にかけての中国からの舶載磁器（当時の言い方でいえば唐物）を多量に出土していることが注目される。また室町戦国期、一五〜一六世紀には国産陶磁器を含め出土量は減少し、近世に入ると再びやや増加するものの、肥前系、時代が降ると布志名をはじめとする地元系陶磁器類と、国産陶磁器がほとんどを占めている。

古代における出雲国造館の所在は明らかではないが、平安末期から鎌倉期にかけての国造館はこの字土居付近にあったとみてよいと思われる。一方室町期には、延徳二年（一四九〇）「佐草泰信《やすのぶ》譲状」（佐草家文書）に「中西屋敷　是ハ新嘗会宿也」とあることから、字土居に南側に隣接する字中西付近に北島国造館が存在したと推定される（千家国造館については現在のところ不明）。やがて詳細な次第を記録した火継神事の史料が作成されるようになった一六世紀末ないし一七世

紀に、字土居に北島国造館、その西側で正林寺に隣接する字向《むかい》に千家国造館があらためて整備されたのだろう。（岡）

66．神魂社古図　一幅

紙本墨画
七七・〇×八七・〇
江戸時代　明和四年（一七六七）
出雲市　北島家

神魂神社と北島国造館を中心に描いた絵図。図の左隅に「明和四年、土井御館（北島国造館）屋ね葺直し御用ニ付、大庭御山にて御造作材木取らせ候、六月三日より七月十六日迄逗留内相認め置く御社地山図、高浜喜祷これを認め置く物也」とあって図の制作事情が知られる。

この図によれば、一八世紀半ばの神魂神社には北側に拝殿、南側に御供所とスマイ（相撲）場があった。さらに南方のはずれに「フルトノ（古殿）」とあるのが興味をひく。社を降ってすぐ左手に秋上神主家屋敷、千家国造館と正林寺を簡略に図す一方、寺の背後の国造家墓所の石塔一二基をしっかり描く。参道を北に進んで突き当たる北島国造家は部屋ごとの間取りを詳細に図示しており、当時の居館の規模を知る良い手がかりである。その背後に早玉社の神木を図示し、享保年間に（延享の）大社造営における材木調達に際して、（本殿の）戸板にふさわしいものとして銀三貫目で買い取る話が持ち上がった逸話を記している。（岡）

67．大庭《おおば》千家《せんげ》国造館《こくそうかん》図　影写　一枚

高梨兵二
紙本ペン画
枠内五八・五×七六・三　全体六一・五×八二・〇
明治時代　一九世紀
松江市　神魂神社

68．大庭北島国造館図　影写　一枚

高梨兵二
紙本ペン画
全体五八・八×八〇・〇
明治時代　一九世紀
松江市　神魂神社

69．大庭神主屋敷図　一枚

廣江富四郎
紙本淡彩
五九・五×七四・七
昭和一九年（一九四四）
松江市　神魂神社

前二者は淡彩で描いた明治初頭まで存在した大庭村の両国造家の外観を影写したもの。後者は神魂神社宮司家である秋上《あきあげ》家の屋敷を昭和一九年に描いたもの。往時の国造館、神主屋敷の姿を詳細に描いた貴重な資料である。

千家国造館は入口の正門に「国造千家殿御神事所也」と記した看板が掲げられ、石段を上って正面の主屋玄関は唐破風であったことが知られる。一方北島国造館のほうは、正門をくぐると更に屋根を設けない門扉があり、主屋の屋根は三層、最上部はこけら葺きで描かれている。右手背後には小社が描かれているが早玉社であろう。宝永二年（一七〇五）「神魂太社之指出帳」（神魂神社所蔵）には「有壇無社、但有杉」とあり、明和四年の66「神魂社古図」でも同様であったことがわかるが、幕末には社殿が設けられていたのだろうか。両国造家の館に対して神魂神社神主秋上氏の屋敷は、大社領、日御碕社領に次ぐ二二一石四斗の社領をほこる神主家にふさわしく門長屋で、主屋には式台《しきだい》を設けている。屋敷の裏手には広々とした空き地があり、本来は他にも附属の建物があったのかもしれない。（岡）

70．琴板《ことい た》　一基

木製
長一三八・六×巾二五・八×高一〇・八　撥七一・〇
近代　二〇世紀
松江市　神魂神社

やや反りのある形状の木製の箱で、底部に日月の刳《く》り込みがある。弦を張らず、撥《ばち》で叩いて用いる楽器である。弥生時代後期の鳥取県青谷上寺地遺跡、出雲市姫原西遺跡から小型の琴板とおぼしきものの出土例がある。現在神魂神社の古伝新嘗祭、千家家の古伝新嘗祭、出雲大社の御饌井《みけい》祭などで用いられる。

近代以降、もと神魂神社で国造が行っていた新嘗会を出雲大社の拝殿に場を移して行われる古伝新嘗祭では、一一月二三日の夜、国造は神火神水で調理した新穀と醴《ひとよざけ》を神々とともに共食（相嘗《あいなめ》）、熊野大社から受けた燧臼に「新嘗祭御燧臼」と墨書し、大社東方にある真名井から採取した小石をもって歯固めを行った上で、榊の小枝を両手に持って百番の舞を奉仕する。この時舞の伴奏として琴板が用いられ伴奏者らは撥に併せて「アーアー、ウーン、ウーン」と唱える。

この琴板は神魂神社で行われる古伝新嘗祭で用いられる琴板で、当日は千家北島両国造も参列する。同社では、釜社の釜に榊と大幣、一二本の小幣、稲束と瓶《へい》子《じ》を括り付けた担い棒を据え、神事ではこの棒を担い、

杖を打ちながら「あらたなし（荒田無し）」と唱えつつ、左右それぞれ三旋する。次いで百番の舞を行う。釜の神事は千家家の古伝新嘗祭においても百番の舞の後に行う。（岡）

71．燧臼《ひきりうす》　附、燧杵《ひきりぎね》　一具

木製
臼五三・二×二一・六　杵三九・三
平成一七年（二〇〇五）
松江市　神魂神社　北島建孝所用

73．兼孝公神火御相続之日記《かねのりこうしんかこうしんか》　一冊

佐草直清
紙本墨書
二六・五×一八・七
江戸時代　延宝七年（一六七九）
出雲市　北島家

第八〇代、現北島国造建孝《たけのり》氏が火継神事において用いた燧臼（火切臼）と杵。後述する新嘗会で用いられるものと比べて形状は小振りである。

73『兼孝公神火御相続之日記』によれば、第六六代国造恒孝《つねのり》の嫡子兼孝は、延宝七年五月一五日、父が帰幽するやただちに大社の国造館を出立、一六日大庭に着き、神魂神社の拝殿の籠り所に入ると髪を清め、「御火切《ひきり》を懐に」し、装束を改めて本殿に昇り、火を揉み出している。従って古来から懐中にする程の大きさであったことが知られる。

国造の継承とは「神火神水」の継承であり、明治はじめまで国造は神火神水で調理したものしか口にしなかった。火継神事における神火は大社から持参した燧臼と杵からおこした火、神水は真名井神社の旧社地である松江市山代町、茶臼山の山裾の真名井の滝で汲みだした水で、これをもって炊飯した食事を神前で戴いてまず継承は果たされる。

この後熊野宮（熊野大社）の太夫が燧臼を持参、これを五寸ほど切ったものを大庭の国造館にとどめ、本体はただちに大社の国造館に遣わした。大庭滞在中は本殿床下を榊で囲い、ここを「御火所《おひどころ》」国造の食事用の台所とした。

一七日、新国造兼孝は再び本殿に昇り、神前で歯固め。真名井の水を酒と称して戴き、相嘗の後に百番の舞を行った。その後阿陀加江《あだかえ》（阿太加夜神社）の神主らが湯立《ゆだて》神事、夜には本殿左脇で行われた相撲三番を見物。一八日には筆頭上官の佐草直清、神魂社神主秋上尊国《たかくに》と「神魂御法楽の発句《ほっく》」を詠んだ。この連歌興行は北島国造家独自の伝統であった。一九日早朝、兼孝一行は帰途に着き、同日出雲大社に到着、八足門《やつあしもん》前で拝礼の後境内庁屋《ちょうのや》に籠もった。翌二〇日、髪を洗い清め、再び燧臼を所持して本殿に昇殿した。

国造継承の神事である火継神事は出雲国造家における最も重要な祭儀の一つであり、歴代その神事はその都度記録され、後代の参考とされた。本史料は今回はじめて公開される火継神事の記録の一つであり、かつ詳細である。（岡）

72-1．燧臼「新饗祭御火切《しんきょうさいおひきり》」附、燧杵、菰《こも》　一枚
72-2．燧臼「天之御火切《てんのおひきり》」　一枚

木製
72-1　燧臼：九四・一×一二・〇　厚三・一
　　　燧杵：八六・八　菰：九六・二×九〇・五
72-2　九三・七×一二・一　厚三・一
明治四年（一八七一）
72-1　出雲市　北島家　北島全孝所用　菰共
72-2　出雲市　北島家　北島全孝所用

出雲国造による神魂神社における新嘗会は、延徳二年（一四九〇）「佐草泰信《やすのぶ》譲状」（佐草家文書）に「中西屋敷、是ハ新嘗会宿也（略）右之田地者、従一頭国造之時、毎年新嘗会之社役相勤、国家之致御祈念」とあって、国造家が両家に分立する以前から行われてきたという。

平井直房の『出雲国造火継ぎ神事の研究』等に拠って神事の次第の大概を述べると次の通りである。

新嘗会は毎年一一月中の卯の日に神魂神社において行われた。火継神事では急ぎ赴いたのに対し、こちらでは古くから大社領がある出雲郡富《とび》村（現・出雲市斐川町富村）の宿所（これを「中宿《ちゅうやど》」という）に一泊した。

大庭に着くとそれぞれの館に入り、翌日神魂神社へ入り神楽を奏して下殿。熊野社の別火に使者を遣し、燧臼の差し出しを催促する。

夜、熊野社の別火が持参した両家三枚ずつの板を受取る。北島国造方は天の御火切で発火だけ行い、常の御火切による火と茶臼山の真名井の滝の水で新穀を炊《かし》ぎ、御酒の火切を翌年の新嘗会の一夜酒《ひとよざけ》作成のためそのまま館に残す。千家国造方は三枚とも火をおこし、一枚は館に残し、一枚は新穀の炊ぎに、残り一枚は大

社へ持ち帰る仕来りだった。

この後熊野社の太夫の饗応があり、次いで国造は昇殿して神に供御《くご》をささげる。終わって下殿すると幣を手にした別火が国造に祝詞《のりと》を、次いで国造が祝詞を、最後に上官と神魂神主秋上氏が国造に祝詞を捧げる。

終わると歯固めを行う。国造の前に海驢《アシカ》の皮が敷かれ、下帯姿の御火所の役人が土器《かわらけ》を載せた盤台を運び込み、別火が皮の上に据え、国造は別火が懐中から差し出した小石二つで歯固めする。次いで一夜酒を戴いた後、上官、神魂神主、同別火に神酒が出る（北島国造方のみ）。

この後百番の舞が行われる。五〇番を過ぎると「皇《すめ》神《がみ》ヲヨキ日ニ祭リシ明日ヨリハ、アケノ衣《ころも》、ケ衣ニケケフ」と盤ごとに唱和する。

終了すると館に戻り「御竈（釜）之神事」を行う。釜の上に俵を置き、大幣三本、小幣二〇本を挿し、別火が祝詞を上げる。天正二年（一五七四）の祝詞では「たうかしん女のすいしやく、廿りくきんたち（稲荷神女の垂迹、廿六眷属？）」に豊穣を祈るものだったが、佐草自清『媒家《さくさ》之神書』中の寛文七年（一六六七）付けの記事では、「天御中主尊《あめのみなかぬし》、豊受皇大神、国常立尊《くにとこたち》」の来臨影向を仰ぐ祝詞となっている。祝詞終わって、別火は稲一把、瓶子を提げた棒を担いで三度釜を巡り、国造に向かい「あらたなし」と唱える。

「御竈之神事」を終えると再び歯固め、一夜酒頂戴（北島国造方）、百番の舞がなされる。この後新穀の飯を三口戴き、燧臼に墨書する。これらを終える頃には夜明けを迎える。国造をはじめ、奉仕した上官《じょうがん》、中官、近習、被官たちの一連の神事の直会《なおらい》というべき「侍之神事」が行われる。

明治三年（一八七〇）一〇月神祇官から「意宇郡神魂神社ニ於テ例年執行候祭式之儀者、可為従前之通候事」「同祭、従来新嘗祭ト相唱候趣、名義朝儀ニ差支候間、向後右之祭称相止可申事」「先般伺之書面、火継神嘗祭ト申立有之候火継之字面、忌諱ニ触候ニ付、是又向後公私相止候事」、同一〇月には「十一月祭式（新嘗祭）之儀（略）当年限従前之通相心得可申」すなわち新嘗祭、火継神事は従前の通り行っていいが、名称は新政府が定めた新嘗祭と紛らわしいので禁止、次いで一〇月には神魂神社における国造による新嘗祭は当年はこれまで通りとすることなどを通達している。明治五年、両国造も従来の厳格な潔斎を改め、大社における祭事の前後のみ潔斎することを教部省に上申し、この結果北島国造が行う新嘗祭は「新饗祭」を改称して、恐らく杵築の北島国造館内で行われた翌四年が最後となり、大社及び神魂神社でそれぞれ「古伝新嘗祭」の名で継承奉仕されることになった。

また「天之御火切」は、大御饌《おおみけ》を炊くため、正月元日に斎火舎において天神地祇を祭祀し、相嘗を行うための御火切と新政府に説明されている。（明治五年〔一八七二〕七五代国造北島全孝教部省宛答書）。いずれの裏面にも「明治四辛未十一月吉日」の墨書がある。

（岡）

74. 絵馬　新嘗会《しんじょうえ》行列図　一枚

豊寂
板地着色
一二〇・〇×二三〇・〇
明治一三年（一八八〇）
松江市　神魂神社

画面中央に「天日隅宮《あめのひすみのみや》御《み》杖代《つえしろ》兼国造出雲宿祢《すくね》、往古ヨリ明治三年庚午迄、毎年十一月二度目ノ卯日、神魂宮おゐて新嘗会御祈祷有りテ、昇殿之時行列之全図」とある。約一〇年前に廃された、出雲国造による新嘗会に伴い参道の鳥居を抜けて神魂神社へ向かう行列を描く。

新嘗会に伴う行列は、元禄元年（一六八八）北島国造附き上官佐草自清が著した『重山雲秘抄《ちょうざんうんぴしょう》』では、鉾、朱傘、弓（二張）、挟筥（二）、御装束筥、辛櫃《からびつ》、被官（数十人）、長刀《なぎなた》、野太刀、肩輿《かたこし》、近習（数人）、上官（騎馬または駕籠）、小扈従《こしょう》（小姓。騎馬）、医師（騎馬または駕籠）とあり、幕末に北島附きの社家であった赤山登が大正一〇年（一九二一）に著した『杵築懐旧談』では、行列順は先導役一人、鉾持一人、先傘持一人、御火書長持二人、被官四人、同組頭二人、先箱二人、御徒《かち》四人、長刀持一人、駕籠四人（代肩四人）、駕籠脇四人、便器荷一人、上官一人、鑓持一人、代官一人、鑓持一人、医師一人、薬箱荷一人、乗馬二疋、荷馬数疋、上官以下の人足・合羽籠荷の人足各数人ずつで、三七人に人足と馬が加わる構成となっている。長い歳月のうちに辛櫃は長持に改まったようだが、絵馬には長持がみえない。絵馬に描かれかつ実物も残る二張立弓の記述が赤山の記録にないなど相互に遺漏がみられるが、概ねの行装を伺うことが出来る。

図中注目されるのは、国造の乗物が駕籠ではなく輿であること。輿は大名家においては基本的には使用が許されず、文化一三年（一八一六）従四位以上の二二家に限り輿の使用が認められている。現存する津山松平藩主所用の輿は総漆塗りであるが、国造所用の輿は遷宮で用いられる神輿同様に白木造であったようだ。背後の駕籠の一つは上官、もう一つは医師であろう。

また駕籠に付き添う社家が黒塗りの高下駄であるのも興味深い。（岡）

75. 二重《にじゅう》亀甲《きっこう》剣《けん》花菱《はなびし》紋《もん》蒔絵《まきえ》先箱《さきばこ》　一対のうち一領

漆塗　蒔絵
高三九・〇　巾七四・四　奥行四三・四
附属：房付太綱紫・茶
江戸時代　一九世紀
出雲市　北島家

76. 二重亀甲剣花菱紋蒔絵挟箱《はさみばこ》　一領

漆塗　蒔絵
高二九・二　巾六三・一　奥行四〇・〇
附属：房付太綱紫・茶
江戸時代　一九世紀
出雲市　北島家

77. 傘　一本

竹　桐油紙
77−1：長二〇五・四　77−2：長二一三・三
江戸時代　一九世紀
出雲市　北島家

78. 傘袋　一袋

茶天鵞絨　金糸刺繍
長一三六・八　巾三〇・二
表：二重亀甲剣花菱紋
裏：二重亀甲に北字紋縫取
附属：房付茶色綱
江戸時代　一九世紀
出雲市　北島家

79. 傘袋　一袋

白木綿無地、無紋
長二九〇・〇、幅三〇・八
附属：房付茶色綱
江戸時代　一九世紀
出雲市　北島家

80. 二《に》張立《ちょうだて》弓　附、空穂　一具

漆塗　蒔絵
長一七〇・四
江戸時代　一九世紀
出雲市　北島家

81. 白《しろ》木綿《もめん》二重亀甲剣花菱紋紺染弓袋　附、五色絹　一袋

木綿、藍型染
長三一一・〇　幅三一・〇　五色絹長七四・五
江戸時代　一九世紀
出雲市　北島家

82. 黒漆八雲《やくも》紋蒔絵胡籙《やなぐい》　二口

漆塗　蒔絵
長四七・〇　幅一三・〇　厚五・〇
江戸時代　一九世紀
出雲市　北島家

83. 長刀《なぎなた》用柄・長刀鞘　一本・一鞘

木製
柄：長二二五・七　鞘：五九・九
江戸時代　一九世紀
出雲市　北島家

84. 長刀袋　一口

茶天鵞絨《ビロード》
長九六・三　幅二一・二
江戸時代　一九世紀
出雲市　北島家

85. 長刀袋　一口

黒羅紗《ラシャ》
長七〇・八　幅四一・〇
江戸時代　一九世紀
出雲市　北島家

86. 長刀袋　一口

茶天鵞絨
長六八・一　幅四三・六
江戸時代　一九世紀
出雲市　北島家

87. 二重亀甲剣花菱紋長刀袋　一口

青羅紗
長六七・二　幅三〇・八
江戸時代　一九世紀
出雲市　北島家

新出資料。毎年の新嘗会、火継神事に伴い神魂神社に赴く際に用いられた旅装の道具。従来74「絵馬　新嘗会行列図」でしか窺い知ることが出来なかった行列の様相をより具体的に知ることが出来るようになってきた。これらはまた明治初期、明治天皇に拝謁のため、京・東京に赴いた際にも用いられた可能性がある。

75、76は装束類、書類等を納めた箱で、革製の蓋覆《ふたおおい》ともに黒漆地に金紋を附す。77の傘は貴人に差しかける傘である。行列では閉じた状態で抱えて運ぶが、78はその傘覆として制作された袋である。茶ビロード地に金糸で二重亀甲剣花菱紋と二重亀甲に北字紋を縫い取りしている。興味深いことにこの袋には畳紙《たとうし》が遺されており、「京三条通室町西入町、御装束師・御神具師、西村八治郎」と摺り出してある。すなわち京の装束師に発注された特注品である。極めて状態が良いのは、傘に取り付けて見える状態にするのは出発時や到着時、人々の往来が多い宿場等に限られたからで、それ以外は日焼けや汚れを避けるため更にその上を79の傘袋で覆っていた。

80は、弓台に固定された弓で、一張のみのものを一《いっ》張立《ちょうだて》、二張並列して立てたものを二張立という。弓台は大名やその家老など高位の臣下が供揃えで旅行する時に用いた飾り弓の道具であり、19「松平斉貴上京行列図」にも描かれている。矢を収納する空穂《うつぼ》を伴う、実用性よりは行列の荘厳性を演出する具としての性格が強い。

81は78の傘袋同様に二張立弓の覆袋で、白木綿地に藍染めの二重亀甲剣花菱紋を置く。シンプルだがすっきりと鮮やかな仕上がりである。紋は藍による型染め。袋は上下が開いており、内側に紅染の絹を貼り、五色の垂れを付けた紐で括る形になっている。畳紙に「御装束所、松江天神町南角、藤屋甚蔵」とある。

82は上部から矢を挿し入れ、内側の紐で束ねる形の壺胡籙《つぼやなぐい》である。宮中では朝儀の警固を勤める近衛《このえ》の武官が背に帯した。八雲紋が施してあるのが珍しい。

83〜87は一具で、道中では長刀にも袋がかけられていた。74新嘗会行列図の絵馬にもみるように、長刀の鞘や袋には房付きの紐を結いつけていたが、やはり「京両替町三条上ル町　御用　御装束師、三宅新吉」と摺り出しを持つ長刀の紐の畳紙も併せて伝わる。また杉箱の蓋に

「　従京都三条通両替町上ル
　　　　三宅新吉
御装束入
於雲州大社、北嶋様内
　森　操様
　新田弘人様
大急用、ぬれもの御用心　」

と墨書し、蓋の四周を和紙で目貼りの上割印を捺した荷物箱も伝来する。長刀袋も黒また茶ビロード、青羅紗に二重亀甲に剣花菱紋または二重亀甲に北字紋の定紋を金糸で縫い取りしたり白抜きしていることから、これらも西村八治郎が納めたのだろう。行列に伴う一連の道具が残っていたのも珍しいが、覆袋等の発注先が判明したことも重要である。（岡）

88．紙包《かみづつみ》「風宮大明神《ふうのみやだいみょうじん》御神楽《おかぐら》御献米《ごけんまい》」　一封

和紙、白米
二四・四×二一・六
江戸時代　一九世紀
出雲市　北島家

「風宮」は松江市玉湯町林に鎮座する布宇神社。近世は一貫して「風宮大明神」と称した。『出雲国風土記』意宇郡不在神祇官社の内の一社「布宇社」に当たる古社である。古来新嘗会にあたっては、千家国造はここでも休息した。北島国造の場合は、『重山雲秘抄』に、「林の郷の社、俗に風宮と号すに社入、神楽を奏して通り玉ふ」とある。本資料は、風宮大明神に神楽を奏した際の献米の包で、今も米粒が入っている。

新嘗会へ向かう途次、なぜこの社に立ち寄ることになったのか史料が伝わらず明らかではない。元社地は山陰道沿いの宍道湖畔に面していた。また寛永一三年（一六三六）に狩野為信《ためのぶ》が作成した出雲国絵図「出雲十二郡図」（島根県立図書館に謄写本あり）は、中海を「天満郡」、宍道湖を「風郡」と表記する奇異な絵図だが、「天満」が大橋川中流に鎮座する手間天神を指すとすれば、「風」は本社を指すのだろう。こうしたことからすれば、意宇郡と島根郡の境に位置し、島の位置で潮が変わる前者の呪術性に対して、風社は文字通り風あいの呪術性が意識されていたのかもしれない。

（岡）

89．出雲大社延享造営伝　乾　一冊

紙本墨書
二五・五×一八・五
江戸時代　一八世紀
出雲市　出雲大社

90-1．出雲大社御造営仮遷座之図　一幅

90-2．出雲大社正遷座之図　一幅

90-1　三九・二×五四・四
明治一〇年（一八七七）
90-2　四〇・一×五四・九
明治一四年（一八八一）
出雲市　出雲大社

《参考》明治一四年遷宮に際し、本殿から仮殿（素鵞社）に架橋された浮橋
明治一四年（一八八一）撮影
個人蔵

89は現在の本殿が造営された延享元年（一七四四）の造営遷宮の直後まとめられた造替遷宮記録。『出雲大社社殿等建造物修理報告』は宮大工が記録として伝えたものとするが、編者の富村方明が松江藩士の富村勇助と同一人物とすれば、同人は造営事業において小買物方日記方を勤めている。社殿の寸法から作事小屋の配置にいたるまで詳細に記録する一級史料である。延享度造営は、瑞垣《みずがき》内の諸社殿を南に一二間、西に六間ずらす形で古材も一部転用しながらの造替で、古本殿である寛文度造営の本殿は正遷座の後に解体された。

本史料はまた、作事のみならず遷宮に伴う祭儀についても詳しく伝えている。出雲大社と神魂神社では、明治一四年の遷宮まで旧本殿または仮本殿から新本殿へ浮橋を架橋して遷座を斎行する全国的にも類をみない「天空の渡御《とぎょ》」が行われていた。延享度の浮橋の規模は、「高サ壱丈八尺余（約五・五メートル）、幅弐間

半（約四・五メートル）、長サ四拾七間二尺余（八五・八メートル）」とある。正遷座では、両国造以下数多くの神職がお仕えし、地元の住人も大社の被官でもあったため素襖《すおう》袴の装束で浮橋の左右に控えて拝伏した。

なお、当日は晴れ渡った夜ながら、御神輿が動座される時には雨雲わき起こって一面の闇となり、新本殿へお遷り後にもとの如く星空となったことから「往古より此御神秘、よりより伝すとは申せとも、今、目前に拝し奉る事恐れミ恐れミ、筆紙にもつくしかたき御神威也」と筆者は衝撃と感動も併せ記している。

90は明治度の仮遷座と本遷座祭において浮橋を渡御する光景を摺りだしたもの、《参考》はその浮橋を撮影した唯一の画像。仮本殿となった素鵞社では、本殿の御修造の間、神饌所や通殿が仮設されていたことがわかる。

浮橋を架けての遷座が行われたのは、大社造の本殿は他の社に比較して床高であること、階段の段数が多くかつ急傾斜（勾配四五度）のため、重量のある神輿を奉じて地面—本殿間を移動することは極めて困難であることが要因の一つとして挙げられる。しかし他の大社造の神社ではこのような遷座は行われていないので、やはり出雲大社と神魂神社独自の遷座の作法であったといえよう。

（岡）

主要参考文献

（書籍・図録・報告書）

・黒沢石斎『懐橘談』、『続々群書類従』第九所収、国書刊行会、一九〇六年
・松平家編輯部編『松平不昧伝』、箒文社、一九一七年（復刻発行報光社、一九八九年）
・桑原羊次郎『島根県画人伝』、島根県美術協会、一九三五年
・上野富太郎・野津静一郎編『松江市誌』、松江市、一九四一年
・宮内省先帝御事蹟取調掛編『孝明天皇紀』第一、平安神宮、一九六七年
・村田正志編『出雲国造家文書』、清文堂出版、一九六八年
・宮内省臨時帝室編集局『明治天皇紀』第二、吉川弘文館、一九六九年
・島根県教育委員会『出雲意宇六社文書』、一九七四年
・谷口廻瀾『島根儒林伝』、飯塚書房（復刻）、一九七七年
・千家尊祀編『出雲大社』、講談社、一九八〇年
・松江市教育委員会編『出雲国造館跡発掘調査報告書』（松江市文化財調査報告七）、同会、一九八〇年
・島根県教育委員会編『風土記の丘地内遺跡発掘調査報告Ⅰ』、同会、一九八二年
・赤山登『杵築旧懐談』大社史話会『大社の史話』四八号所収、一九八三年
・神道大系編纂会編『神道大系　神社編三六　出雲・石見・隠岐国』、同会、一九八三年
・村上勇編『島根の工芸』、島根県立博物館、一九八七年
・平井直房『出雲国造火継ぎ神事の研究』大明堂、一九八九年
・的野克之編『島根の文化財―仏像彫刻篇』、島根県立博物館、一九九〇年
・神道大系編纂会編『神道大系　神社編三七　出雲大社』、同会、一九九一年
・大社町史編集委員会『大社町史』上巻、大社町、一九九一年
・松江市教育委員会編『出雲国造館跡発掘調査報告書』（松江市文化財調査報告書第五二集）、同会、一九九三年
・大岡信・小林忠『水墨画の巨匠　第一一巻　大雅』、講談社、一九九四年
・大社町史編集委員会編『大社町史』史料編（古代・中世）、大社町、一九九七年
・島根県古代文化センター『出雲大社の祭礼行事―神在祭・古伝新嘗祭・涼殿祭』、同、一九九九年
・島根県立美術館・NHKプロモーション編『生誕二五〇年　松平不昧展』図録、同館、二〇〇一年
・西岡和彦『近世出雲大社の基礎的研究』、大明堂、二〇〇二年
・奈良文化財研究所編『出雲大社社殿等建造物調査報告』、大社町教育委員会、二〇〇三年
・佐々木丞平・佐々木正子監修『特別展　円山応挙〈写生画〉創造への挑戦』図録、毎日新聞社・NHK、二〇〇三年
・国立歴史民俗博物館編『日本の神々と祭り―神社とは何か？―』図録、同館、二〇〇六年
・島根県立古代出雲歴史博物館編『神々の至宝　祈りのこころと美のかたち』図録、ハーベスト出版、二〇〇七年
・奥平俊六・関口敦仁監修『デジタル洛中洛外図屏風［島根県美本］』、淡交社、二〇〇九年
・藤間亨『格式と伝統　出雲の御本陣』（出雲市民文庫一九）、出雲市、二〇〇九年
・小島道裕『描かれた戦国の京都　洛中洛外図屏風を読む』、吉川弘文館、二〇〇九年
・伊藤英俊『松江誕生物語』、山陰中央新報社、二〇一〇年
・三館合同企画展「本陣被仰付」展実行委員会編『本陣被仰付―名画が伝える旧家の文化』図録、同展実行委員会、二〇一〇年
・「松江市の指定文化財」編集委員会編『松江市の指定文化財―未来に残す松江の文化遺産二五〇―』（松江市ふるさと文庫七）、松江市教育委員会、二〇一〇年
・群馬県立歴史博物館ほか編『洛中洛外図屏風に描かれた世界』図録、三館共同企画展『洛中洛外図屏風に描かれた世界』プロジェクトチーム、二〇一一年

・藤田覚『江戸時代の天皇』、講談社、二〇一一年
・松江歴史館編『雲州松平家の大名行列―お殿様の道中と街道―』図録、同館、二〇一二年
・東京国立博物館・島根県立古代出雲歴史博物館編『出雲―聖地の至宝』図録、島根県立古代出雲歴史博物館、二〇一二年
・島根県立古代出雲歴史博物館編『平成の大遷宮　出雲大社展』図録、ハーベスト出版、二〇一三年
・瀧音能之『出雲古代史論攷』岩田書院、二〇一四年
・出雲文化伝承館編『没後二〇〇年　名工如泥とその道統』同館、二〇一四年
・島根県立古代出雲歴史博物館編『百八十神坐す出雲　古代社会を支えた神祭り』、同館、二〇一五年
・島根県立古代出雲歴史博物館編『特別展　遷宮―受け継ぐこころとかたち・増浦行人「神の宮」―』図録、同館、二〇一六年
・黒田日出男『岩佐又兵衛と松平忠直』、岩波書店、二〇一七年
・島根県文化財愛護協会編『しまねの文化財』、島根県文化財所有者連絡協議会、二〇一八年
・三井記念美術館ほか編『没後二〇〇年　大名茶人　松平不昧』図録、ＮＨＫプロモーション、二〇一八年
・出雲文化伝承館編『没後二〇〇年　松平不昧―茶と人となり―』図録、同館、二〇一八年
・島根県立八雲立つ風土記の丘編『知られざる中世都市　出雲府中』図録、同、二〇一八年
・伊東史朗総監修『神像彫刻重要資料集成　第四巻　西日本編』、国書刊行会、二〇一八年
・松江歴史館編『松江市につたわる指定文化財』図録、同館、二〇二〇年

〔論文〕
・吉澤忠「池大雅筆　松蔭観潮・夏雲霊峰図屏風」、『国華』第八二四号、一九六〇年
・無署名「指定文化財の紹介」、『島前の文化財』第一号、一九七一年
・竹内尚次「松平直亮氏寄贈品について」、『ＭＵＳＥＵＭ』第二六二号、一九七三年
・麻原美子「東京国立博物館蔵『百合若物語』絵巻の紹介(図版・翻刻)と、舞の本『百合若大臣』絵巻についての考察」、『日本女子大学紀要　文学部』第四七号、一九九七年
・高屋茂男「大庭の出雲国造館と今井家文書～風土記の丘地内歴史的景観復元研究～」、『八雲立つ風土記の丘』第一九三号、二〇〇八年
・出光佐千子「池大雅筆「松蔭観潮・夏雲霊峰図」屏風の主題再考察」、『国華』第一三五四号、二〇〇八年
・高屋茂男、西尾克己「文献・考古資料からみた出雲国造館」、『八雲立つ風土記の丘』第一九七号、二〇〇九年
・並木誠士「八雲本陣蔵《源平合戦図屏風》について」、『美術フォーラム21』第二四号、二〇一一年
・田邑福太郎「太刀　銘　来国光」、『隠岐の文化財』第三一号、二〇一四年
・大日方克己「雲州本『延喜式』の校訂と藍川慎」、『社会文化論集（島根大学法文学部紀要　社会文化学科編）』第一一号、二〇一五年
・沼倉延幸「図書頭森林太郎（鷗外）に関する基礎的研究―宮内公文書館所蔵資料を中心として―」、『書陵部紀要』第六八号、二〇一七年
・沼倉延幸「帝室博物館総長兼図書頭森鷗外と「功績調書」―事実を記録するための覚書（一）―」『鷗外』第一〇六号、森鷗外記念会、二〇二〇年

出品目録

Ⅰ　東京国立博物館とのゆかり

指定	列品No.	作品名	員数	作者・出土地等	制作年代	所蔵者所在地・所蔵者
	1	元ト昌平阪聖堂ニ於テ博覧会図	一点	昇斎一景	明治五年（一八七二）	古代出雲歴史博物館
	2	出雲大社博覧会稟告	一冊		明治六年（一八七三）	出雲市　北島家
	3	古墳発見石製模造器具の研究 帝室博物館学報第一冊	一冊	高橋健自	大正八年（一九一九）	島根大学附属図書館
	4	土馬	一軀	松江市・美保神社境内出土	古墳時代か	東京国立博物館
	5	土馬	一軀	松江市・美保神社境内出土	古墳時代か	松江市　美保神社
重要文化財	6	八幡三神像	三軀	慶（鏡）覚	鎌倉時代　嘉暦元年（一三二六）	飯南町　赤穴八幡宮（東京国立博物館寄託）
国宝	7	白糸威鎧　兜・大袖付	一領		鎌倉時代　一四世紀	出雲市　日御碕神社（東京国立博物館寄託）
	8	源頼朝卿御鎧修補註文	一冊	寺元安宅	江戸時代　文化二年（一八〇五）	出雲市　日御碕神社（東京国立博物館寄託）
	9	白糸威鎧　復元	一領	明珍宗恭	平成八年（一九九六）	出雲文化伝承館
重要文化財	10-1	梨地笹龍膽紋糸巻太刀拵	一口		江戸時代　一七～一八世紀	東京国立博物館　雲州三谷家明徳会旧蔵
	10-2	梨地笹龍膽梅枝紋蒔絵太刀箱	一合		江戸時代　一八世紀	東京国立博物館　雲州三谷家明徳会旧蔵
	11	百合若物語絵巻　上巻・中巻	三巻のうち二巻		江戸時代　一八世紀	東京国立博物館　松江松平家旧蔵

Ⅱ　まぼろしの洛中洛外図と松江藩主の大名行列図

指定	列品No.	作品名	員数	作者・出土地等	制作年代	所蔵者所在地・所蔵者
	12	松平直政像	一幅		近代　二〇世紀	松江市　月照寺
	13-1	御即位為御名代直政公上洛	一冊		江戸時代　寛文三年（一六六三） 文政一一年（一八二八）書写	古代出雲歴史博物館
	13-2	本願出入ニ付江戸日記	一冊	佐草自清	江戸時代　寛文二年（一六六二）	個人蔵
	13-3	越前家譜	五冊のうち一冊		江戸時代　一九世紀	個人蔵
	14	洛中洛外図屏風（島根県本）	六曲一双		江戸時代 元和年間（一六一五～二四）頃	島根県企業局（島根県立美術館寄託）

	15	洛中洛外図屏風（模本）	五幅	原本：狩野元信 模写：中村三之丞	江戸時代 一八世紀 （原本：室町時代 一六世紀）	東京国立博物館
	16	松平斉貴像	一幅		江戸時代 一九世紀	島根県立図書館
	17	雲州公御上京御行列 第二巻	三巻のうち一巻	陶山雅純（勝寂）	江戸時代 一九世紀	古代出雲歴史博物館
	18	松平斉貴行列絵巻 第三冊	五冊のうち一冊	陶山雅純（勝寂）	江戸時代 一九世紀	松江市
	19	松平斉貴上京行列図 上巻	二巻のうち一巻	陶山雅純（勝寂）	江戸時代 一九世紀	古代出雲歴史博物館
	20	松平斉貴上京行列図 第一巻・第三巻	五巻のうち二巻	陶山雅純（勝寂）	江戸時代 一九世紀	東京国立博物館 松江松平家旧蔵
	21	摺物 京都御名代行列附	一点		江戸時代 弘化四年（一八四七）	古代出雲歴史博物館
	22	御即位御次第	一冊		江戸時代 弘化四年（一八四七）	出雲市 北島家
松江市指定文化財	23	太刀 銘「包平」	一振		平安時代 一一世紀	松江市 松江直政拝領
島根県指定文化財	24-1	太刀 銘「来国光」	一振		鎌倉～南北朝時代 一四世紀	海士町 隠岐神社 孝明天皇下賜
	24-2	梨地菊桐紋高蒔絵糸巻太刀拵	一腰		江戸時代 一八～一九世紀	海士町 隠岐神社 孝明天皇下賜
	25	中啓 桜に飛鳥・撫子に桐・薄に虫籠	三握		江戸時代 一九世紀	出雲市 北島家 孝明天皇所用
	26	中啓 双鶴に波・鶯梅に山波	二握		江戸時代 一九世紀	出雲市 北島家 仁孝天皇所用
	27	楼閣山水螺鈿箔絵印籠 附、親子犬根付	一合		江戸時代 一九世紀	出雲市 北島家 孝明天皇所用
	28	十六葵紋総網代挟箱	二領		江戸時代 一九世紀	東京国立博物館
	29	金唐革床几	一脚		江戸時代 一九世紀	松江市 松江神社
	30	十六葵紋総網代挟箱	一領		江戸時代 一七世紀	松江市 松江神社
	31	道程記	一折	田中又六	江戸時代 一九世紀	松江市
	32	関札 松平出羽守宿	一点		江戸時代 宝暦七年（一七五七）	古代出雲歴史博物館 周藤國實コレクション
	33	松平不昧像	一幅		原図：江戸時代 一九世紀 模写：大正五年（一九一六）頃	古代出雲歴史博物館
重要文化財	34	虚堂智愚尺牘 悟翁禅師あて	一幅		中国・南宋時代 一三世紀	東京国立博物館 松江松平家旧蔵
	35	松平不昧書状 龍橋（朽木昌綱）あて	一巻		江戸時代 一九世紀	古代出雲歴史博物館
	36-1	桑十牛図透刀掛	一基	小林如泥	江戸時代 一八～一九世紀	古代出雲歴史博物館
	36-2	桑西行富士見図透刀掛	一基	小林如泥	江戸時代 一八～一九世紀	松江市

指定	列品No.	作品名	員数	作者・出土地等	制作年代	所蔵者所在地・所蔵者
	37	袖障子	一面	小林如泥	江戸時代 一八～一九世紀	東京国立博物館 松江松平家旧蔵
	38	蔦細道図	二幅	土井宗鋪（刈谷藩主土井利徳）松平不昧賛	江戸時代 一九世紀	東京国立博物館 松江松平家旧蔵
	39	出雲国大社図	一幅		江戸時代 一九世紀	古代出雲歴史博物館
	40	万日記 六	一冊		江戸時代 一九世紀	手錢記念館
	41	秋草蒔絵文箱	一合	下絵：狩野晴川院 作：原羊遊斎	江戸時代 文化七年（一八一〇）	手錢記念館
	42-1	冠卓	一基		江戸時代 一九世紀	八雲本陣記念財団
	42-2	唐金唐冠香炉	一合		江戸時代 一九世紀	八雲本陣記念財団
	42-3	唐物彫漆丸香合	一合		江戸時代 一九世紀	八雲本陣記念財団
	42-4	三ツ羽 鷹羽	一点		江戸時代 一九世紀	八雲本陣記念財団
	43	双鶴図	一幅	円山応挙	江戸時代 明和二年（一七六五）	八雲本陣記念財団
	44	源平合戦図屏風	六曲一双		江戸時代 一七世紀	八雲本陣記念財団
	45	楼閣山水図	二幅	伝 牧谿	江戸時代	八雲本陣記念財団
	46	松蔭観潮・夏雲霊峰図屏風	六曲一双	池 大雅	江戸時代 一八世紀	八雲本陣記念財団
	47	帝鑑図屏風	二曲一隻		江戸時代 一七世紀	手錢記念館

Ⅲ 出雲国造の行列

指定	列品No.	作品名	員数	作者・出土地等	制作年代	所蔵者所在地・所蔵者
	48	杵築大社遷宮入目注文案	一点		室町時代 享禄四年（一五三一）	出雲市 北島家
	49	杵築大社遷宮入目注文	一点		室町時代 天文一八年（一五四九）	出雲市 北島家
	50	鰐淵寺豪円勘文	一点		安土桃山時代 天正八年（一五八〇）	出雲市 北島家
	51	杵築大社入目算用日記案	一点		室町時代 天文二四年（一五五五）	出雲市 北島家
	52	北島方上官等連署起請文	一点		安土桃山時代 文禄二年（一五九三）	出雲市 北島家
	53	尼子義久袖判大庭内抜目書立案	一点		室町時代 永禄六年（一五六三）	出雲市 北島家
	54	大社御遷宮目録	一冊		江戸時代 慶長一三年（一六〇八）	出雲市 北島家
	55	寛文 御神前御宝物日記	一冊	竹下千之丞	江戸時代 寛文三年（一六六三）	出雲市 北島家

56	杵築大社御内殿覚	一冊		江戸時代　一八世紀	出雲市　北島家
57	延喜式（出雲藩版）	五〇冊のうち二冊		江戸時代　文政一一年（一八二八）	古代出雲歴史博物館
58	続日本紀	二〇冊のうち一冊		江戸時代　明暦三年（一六五七）	古代出雲歴史博物館
59	出雲國造神寿後釈　上巻	二冊	本居宣長	江戸時代　寛政八年（一七九六）	古代出雲歴史博物館
60	神賀詞	一点	北島全孝　奏	明治二年（一八六九）	出雲市　北島家
61	出雲国造神賀詞奏上次第図案	一点		明治三年（一八七〇）	出雲市　北島家
62	神魂神社模型	一基		昭和時代　二〇世紀	国立歴史民俗博物館
63	懐橘談　乾	二冊のうち一冊	黒沢石斎	江戸時代　一八世紀	古代出雲歴史博物館
64	陶磁器類	一括（一〇片）	松江市大庭町黒田畦　字土居・字神主屋敷所在遺跡出土	飛鳥時代・鎌倉時代・江戸時代　1：七世紀　2・3：一三世紀　4：一二～一三世紀　5・6：一九世紀中頃　7：一七世紀中頃　8：一八世紀前半　9：一八世紀中頃　10：一九世紀前半	島根県埋蔵文化財調査センター
65	中国産磁器類等	一括（一五片）	松江市大庭町字土居／元島居他出土	宋～明代　1～5：一二世紀、6・7・9・10・12・14・15：一二世紀後半～一三世紀前半、8：一三世紀、13：一六世紀、11：不明	松江市
66	神魂社古図	一幅		江戸時代　明和四年（一七六七）	出雲市　北島家
67	大庭千家国造館図　影写	一枚	高梨兵二	明治時代　一九世紀	松江市　神魂神社
68	大庭北島国造館図　影写	一枚	高梨兵二	明治時代　一九世紀	松江市　神魂神社
69	大庭神主屋敷図	一枚	廣江富四郎	昭和一九年（一九四四）	松江市　神魂神社
70	琴板	一基		近代　二〇世紀	松江市　神魂神社
71	燧臼　附、燧杵	一具		平成一七年（二〇〇五）	松江市　神魂神社
72-1	燧臼「新饗祭御火切」附、燧杵、菰	一枚		明治四年（一八七一）	出雲市　北島家
72-2	燧臼「天之御火切」	一枚		明治四年（一八七一）	出雲市　北島家
73	兼孝公神火御相続之日記	一冊	佐草直清	江戸時代　延宝七年（一六七九）	出雲市　北島家
74	絵馬　新嘗会行列図	一枚	豊寂	明治一三年（一八八〇）	松江市　神魂神社
75	二重亀甲剣花菱紋蒔絵先箱	一対のうち一領		江戸時代　一九世紀	出雲市　北島家
76	二重亀甲剣花菱紋蒔絵挟箱	一領		江戸時代　一九世紀	出雲市　北島家
77	傘	二本		江戸時代　一九世紀	出雲市　北島家

指定	列品No.	作品名	員数	作者・出土地等	制作年代	所蔵者所在地・所蔵者
	78	傘袋	一袋		江戸時代　一九世紀	出雲市　北島家
	79	傘袋	一袋		江戸時代　一九世紀	出雲市　北島家
	80	二張立弓　附、空穂	一具		江戸時代　一九世紀	出雲市　北島家
	81	白木綿二重亀甲剣花菱紋紺染弓袋 附、五色絹	一袋		江戸時代　一九世紀	出雲市　北島家
	82	黒漆八雲紋蒔絵胡籙	二口		江戸時代　一九世紀	出雲市　北島家
	83	長刀用柄・長刀鞘	一本・一鞘		江戸時代　一九世紀	出雲市　北島家
	84	長刀袋	一口		江戸時代　一九世紀	出雲市　北島家
	85	長刀袋	一口		江戸時代　一九世紀	出雲市　北島家
	86	長刀袋	一口		江戸時代　一九世紀	出雲市　北島家
	87	二重亀甲剣花菱紋長刀袋	一口		江戸時代　一九世紀	出雲市　北島家
	88	紙包「風宮大明神御神楽御献米」	一封		江戸時代　一九世紀	出雲市　北島家
	89	出雲大社延享造営伝　乾	一冊		江戸時代　一八世紀	出雲市　出雲大社
	90-1	出雲大社御造営仮遷座之図	一幅		明治一〇年（一八七七）	出雲市　出雲大社
	90-2	出雲大社正遷座之図	一幅		明治一四年（一八八一）	出雲市　出雲大社

協力機関・協力者一覧

本展の開催ならびに本図録の作成にあたり、貴重な文化財の所蔵先をはじめとする左記の方々にご教示・ご協力をいただきました。記して感謝の意を表します。（敬称略・五十音順）

赤穴八幡宮
海士町後鳥羽院資料館
海士町教育委員会地域共育課
出雲教北島国造館
出雲大社
出雲市文化スポーツ課
出雲文化伝承館
伊藤印刷
隠岐神社
神魂神社
宮内庁書陵部宮内公文書館
月照寺
国立歴史民俗博物館
島根県企業局
島根県教育庁埋蔵文化財調査センター
島根県立図書館
島根県立美術館
島根県立八雲立つ風土記の丘
島根大学附属図書館
津山郷土博物館
手錢記念館
東京国立博物館
東京大学史料編纂所
日御碕神社
松江市埋蔵文化財調査室
松江神社
松江歴史館
美保神社
森鷗外記念館
八雲本陣記念財団

秋上裕美
阿部賢治
荒木臣紀
飯田茂雄
井出浩正
伊藤一郎
稲田陽介
井上寛司
大野　浩
大森拓士
大山優子
岡敬一郎
沖松健次郎
長田圭介
小野高慶
梶村明慶
勝　知子
川向　誠
北島建孝
倉橋　英
久留島浩
木幡　均
木幡道子
酒井元樹
佐草加寿子
佐々木杏里
佐藤寛介
澤井麻衣子
品川欣也
新庄正典
新谷重喜
新谷伊子
関　紀子
千家尊祐
錢谷眞美
高梨博昭
高橋真作
高屋茂男
椿　真治
手錢白三郎
錦田剛志
錦田充子
西島太郎
沼倉延幸
長谷川三郎
原　守中
平岡邦彦
福島　修
藤岡大拙
藤田儒聖
藤原　隆
藤原重雄
藤森　馨
保谷　徹
本間順一
増田政史
松本岩雄
松本玲子
丸山士郎
三宅和子
椋木賢治
六人部克典
村尾　周
守岡正司
森谷文子
安井大真
山﨑　功
横山直正
横山陽之
吉田美智子
鷲頭　桂
渡部律也

再オープン記念　特別展
行列
雲州松平家と出雲国造家【図録】

発行日　令和二年（二〇二〇）四月二三日

編集・発行　島根県立古代出雲歴史博物館
〒六九九－〇七〇一
島根県出雲市大社町杵築東九九－四
ＴＥＬ（〇八五三）五三－八六〇〇
ＦＡＸ（〇八五三）五三－五三五〇

発　売　今井出版

印　刷　今井印刷株式会社